LA BEAUTÉ DES LOUTRES

« On entendit les pas sur la neige. On vit l'éclair d'une lampe et ils apparurent derrière le pignon de la maison. D'abord le garçon, puis l'homme. Ils dépassèrent le pignon, et l'une après l'autre leurs silhouettes se détachèrent aussi distinctement que la maison sur le ciel étoilé.

Ils avançaient lentement et prudemment. Le garçon tenait une lampe électrique dans sa main. Il éclairait le chemin creusé dans la neige. Elle avait durci pendant la nuit et c'était pour eux comme de marcher sur de la glace. »

Un hiver en pleine montagne. Horacio, éleveur de moutons, accompagné de son aide, le jeune Vito, prennent la route. À l'arrière de leur camion se trouvent une douzaine de moutons qu'ils doivent convoyer et livrer de l'autre côté du col. Un col qu'ils doivent franchir avant la nuit s'ils ne veulent pas que les routes gelées et les chutes de neige leur en interdisent l'accès. Au volant, Horacio est absorbé par sa conduite périlleuse. L'homme et le gamin cherchent à se détendre en entretenant un dialogue au sujet de leur amour commun pour les loutres.

Mais voilà qu'une tempête se lève, et avec elle, la tension monte dans l'habitacle du véhicule. Horacio a peur, il s'énerve, est bientôt excédé et se retourne contre Vito...

Hubert Mingarelli occupe une place à part parmi les jeunes romanciers français, notamment depuis le succès de son roman Une rivière verte et silencieuse. *Il a reçu le prix Médicis en 2003 pour son roman* Quatre Soldats. *Il vit aujourd'hui dans un hameau de montagne en Isère.*

Hubert Mingarelli

LA BEAUTÉ
DES LOUTRES

ROMAN

Éditions du Seuil

TEXTE INTÉGRAL

ISBN 2-02-063950-5
(ISBN 2-02-049712-3, 1re publication)

www.seuil.com

1

On entendit les pas sur la neige. On vit l'éclair d'une lampe et ils apparurent derrière le pignon de la maison. D'abord le garçon, puis l'homme. Ils dépassèrent le pignon, et l'une après l'autre leurs silhouettes se détachèrent aussi distinctement que la maison sur le ciel étoilé.

Ils avançaient lentement et prudemment. Le garçon tenait une lampe électrique dans sa main. Il éclairait le chemin creusé dans la neige. Elle avait durci pendant la nuit et c'était pour eux comme de marcher sur de la glace.

– Éteins cette lampe, maintenant ! lui dit l'homme.

Vito pointa le faisceau vers le mur de la grange et tenta d'éclairer la porte. Mais la grange était loin et la nuit très claire, en sorte que ça ne servait à rien. La porte, on ne la voyait pas mieux avec la lumière électrique.

– Éteins ça ! lui dit l'homme calmement.

Le garçon éteignit la lampe et la laissa pendre au bout de son bras.

– Range-la dans ta poche ! Ça te donnera moins envie de t'en servir.

Vito glissa la lampe dans sa poche et garda la main dessus, le doigt sur le bouton.

– Qu'il fait clair ! dit l'homme en passant son sac dans son autre main.

– C'est la neige ou la lune ?

– J'en sais rien. Les deux, j'imagine.

Sans s'arrêter de marcher le garçon tourna la tête et dit :

– La nuit dernière, il faisait moins clair.

– Tu es sorti ?

– Non j'ai regardé par la fenêtre.

– Alors c'est pas pareil, dit Horacio. Il aurait fallu que tu sois dehors pour comparer.

– Vous croyez ?

– J'en suis sûr, il a fait clair comme ça toute la nuit, répondit l'homme.

Puis il demanda :

– Tu as froid ?

– Non j'ai pas froid.

Ils arrivèrent devant la grange. La tranchée dans la neige s'élargit devant la porte.

Horacio passa devant et tendit le sac à Vito. Il décadenassa la porte et disparut dans le noir vers le commutateur. La grange s'éclaira. Vito entra et referma derrière lui.

C'était un vaste hangar sans mur porteur. Il contenait une demi-douzaine d'enclos et un grenier à foin construit en planches sur les poutres horizontales de la charpente.

Il y avait un camion à plate-forme d'un modèle assez ancien. Il était garé entre les enclos. Les garde-boue et les marchepieds étaient peints à l'antirouille. Les planches des ridelles étaient peintes en rouge.

Les moutons ne bougeaient pas dans les enclos. C'étaient tous des moutons à tête bleue. Il y avait des courants d'air et les ampoules balançaient au bout de leur fil électrique. La chaleur des bêtes faisait monter la température de quelques degrés au-dessus de zéro.

Vito ouvrit la porte du camion et posa le sac sous le siège du passager. Il grimpa sur le marchepied et aperçut le fusil entre les deux sièges.

– Pourquoi vous avez amené le fusil?

Il attendit puis descendit du marchepied.

– Hein, pourquoi vous amenez le fusil?

Horacio lança une botte de foin depuis le grenier.
Il commença de redescendre par l'échelle et dit:

– Si on voit un renard sur la route.

Puis il commanda:

– Vas-y, monte!

Vito passa derrière le camion. Il rabattit la ridelle
et grimpa sur la plate-forme. Horacio lui tendit la
botte. Et pendant qu'il en défaisait la ficelle le
garçon dit:

– Faudra vous arrêter pour le tirer.

– On verra déjà si on en voit.

– Mais si on en voit?

Horacio se dirigeait vers un des enclos.

– Alors je m'arrêterai.

– Le renard aura filé.

– Étale-moi ce foin!

Vito l'étala avec soin, et tandis qu'il commençait
à le piétiner il dit à propos des moutons:

– Hier soir j'ai pensé qu'ils allaient avoir froid.

Horacio était dans l'enclos maintenant, au milieu
d'une douzaine de moutons, et il s'allumait une
cigarette. En même temps il regardait attentivement

vers la charpente. Il avait des gants épais alors il gardait la cigarette entre ses lèvres.

— Ils auront un peu froid, c'est sûr, dit-il en continuant de contempler la charpente.

À présent il fixait l'endroit où il avait doublé la poutre du milieu avec des planches épaisses. Par moments il soufflait vers le bout de la cigarette pour écarter la fumée de ses yeux. Finalement son regard redescendit vers le camion et il demanda :

— C'est fini le foin ?

— Oui.

— Bon, reste là, je vais te les amener.

Il saisit un mouton sous le poitrail et les antérieurs, et se dirigea vers le camion. Vito s'était accroupi au bord de la plate-forme, les bras ouverts.

— Non, pousse-toi ! marmonna Horacio à cause de la cigarette. Contente-toi de les amener vers l'avant.

Il posa le mouton sur la plate-forme. Vito le prit par le cou et l'emmena vers l'avant du camion.

— Bouge plus de là ! dit-il au mouton en tapant du plat de la main sur le foin.

Horacio revenait avec le deuxième mouton.

— Et si on avait mis de la paille ? demanda Vito en attrapant le mouton.

Horacio marcha vers la porte. Il l'entrouvrit et jeta sa cigarette dehors. Il retourna dans l'enclos. Il souleva une autre bête et la porta vers le camion.

– Je crois que c'est mieux, du foin, dit-il en hissant la bête sur la plate-forme. Parce que de la paille, elle ne leur servirait pas à grand-chose, ils ne voudront pas se coucher.

Il s'éloigna.

– Le foin, une chance au moins qu'ils le mangent.

– Pourquoi ils se coucheront pas ?

– Ça je sais pas, ils pourraient tranquillement voyager en se couchant dans la paille, ça les protégerait du vent. Mais ils le feront pas. Pourquoi ? J'en sais rien.

À présent Horacio revenait avec un autre mouton. Vito dit avec assurance :

– Je les ferai se coucher avant qu'on parte.

– Tu feras rien du tout parce que ça servirait à rien.

Vito attrapa le mouton par le cou et le poussa vers l'avant.

Il y avait une demi-douzaine de bêtes sur la plate-forme à présent. Elles piétinaient le foin. Elles cherchaient à se tourner et passaient leur tête par-dessus les ridelles de côté. À force de bouger, elles avaient tendance à revenir vers l'arrière. Entre deux allers et retours d'Horacio, Vito écartait les bras et les fixait farouchement pour qu'elles restent en place.

Ils finirent de charger les bêtes en silence.

Vito sauta du camion et referma la ridelle, et Horacio, qui était monté dans le grenier, jetait maintenant du foin au milieu des bêtes qui ne partaient pas cette nuit.

– Attends ! fit-il quand il aperçut Vito au pied de l'échelle. Remonte et regarde voir dans le coffre si on a tout !

Vito retourna sur la plate-forme et poussa les moutons pour arriver jusqu'au coffre. Il était soudé à l'avant contre la cabine. Il l'ouvrit et l'inspecta.

– On a tout.

– C'est bon, va ouvrir la porte !

Vito sauta de la plate-forme. Il alla vers la porte, poussa les battants vers l'extérieur et les cala avec de la neige. Horacio fit le tour du camion et grimpa dans la cabine. Il ôta ses gants. Il démarra et sortit doucement de la grange. Vito referma la porte derrière lui, installa le cadenas et se dirigea vers le camion. Il y grimpa à moitié. Horacio lui demanda :

— Tu as pissé ?

— À la maison.

— Retournes-y encore un coup !

Vito ne bougeait pas.

— Vas-y, dépêche-toi ! lui dit Horacio patiemment. Fais ce que je te dis.

Vito lui tendit les clés du cadenas et alla pisser contre le mur de la grange. Quand il revint s'asseoir dans le camion, Horacio tenait fermement le volant à deux mains et souriait. Il demeura ainsi encore un instant immobile et souriant, puis il enclencha la vitesse. Le camion tangua un instant avant de trouver sa place dans les ornières de neige. Horacio jeta un regard à droite et à gauche, puis il reposa doucement son dos contre le siège.

2

Il conduisait très lentement. Il tenait à peine le volant, car les roues suivaient naturellement les deux ornières dans la neige. Les phares éclairaient à une cinquantaine de mètres devant.

De temps en temps, Vito se tournait pour regarder par la lunette arrière.

– Qu'est-ce qu'ils font ? l'interrogea Horacio.

– Rien, dit Vito. Ils bougent pas.

– Ils sont où ?

Vito ne dit rien. Il considéra Horacio avec étonnement. Horacio dit :

– Plutôt à l'arrière ou à l'avant ?

– Plutôt vers nous, à l'avant.

– C'est bien. C'est mieux pour eux si je dois freiner, tu vois ?

– Oui.

Ils avaient parcouru cinq ou six kilomètres. Il faisait chaud dans la cabine à présent. Horacio ralentit et arrêta le camion au point mort. Il ôta son manteau et le rangea derrière son siège.

– Fais comme moi ! dit-il.

Vito ôta son manteau et le cala entre sa tête et la portière. Horacio baissa un peu sa vitre. Il s'alluma une cigarette et embraya. Le camion repartit à la même vitesse, toujours guidé par les ornières dans la neige.

– Ici, au printemps, tu reconnaîtras rien, dit Horacio. Cette route, c'est une jolie route goudronnée.

– Elle est plus large ?

– Non, mais elle est bien goudronnée.

Il désigna des arbres un peu plus loin vers la droite.

– Il y a des étangs là-bas derrière les arbres.

– Profonds ?

– Quelques-uns le sont. Un mètre, je suppose, estima-t-il. Mais j'entrerai jamais dedans pour le mesurer. J'ai jamais aimé ça me mettre dans l'eau d'un étang, c'est plein de saloperies de bestioles et de serpents d'eau. Oh, les serpents dans l'eau en même temps que moi !

Il se tut, ouvrit les yeux en grand, et ajouta plus doucement :

– Quelle merde terrifiante !

– On n'a pas encore vu de renard, dit Vito.

Horacio tapa d'une main sur le volant.

– Bon Dieu, de quoi je te parle en ce moment ?

– Je pensais au renard, dit Vito.

Horacio souffla la fumée vers l'ouverture de la vitre.

– Tout à l'heure j'en ai vu deux argentés de mon côté, dit-il.

Vito le regarda avec soupçon.

– Je vous crois pas, dit-il soudain.

Horacio jeta sa cigarette et referma la vitre.

– Tu as encore une heure pour dormir, après il fera jour, ce sera plus difficile.

– J'ai assez dormi.

– Alors ouvre les yeux, peut-être qu'on verra un renard avant la nationale. Après faudra plus y compter. Même si on en voit un, je le tirerai pas sur la nationale.

Vito se redressa. Il posa son manteau sur celui d'Horacio et scruta la route devant lui. Et parfois il scrutait aussi de chaque côté toute la surface enneigée que les phares éclairaient. Mais au-delà de leur portée, et bien que la nuit fût très claire, ça ne servait à rien de regarder. Tout était dans le noir par contraste.

— Écoute ! dit soudain Horacio. Il se pourrait que tout se passe aussi bien que possible. Alors on sera rentrés ce soir, sûrement très tard mais on sera rentrés, et je serai soulagé.

Il tira la nuque en arrière.

— Mais je serai pas soulagé avant qu'on soit rentrés. Faudra pas m'en vouloir si une mouche me pique pour rien. Tiens voilà, ça aussi c'est une chose que tu dois comprendre.

— Ça c'est facile à comprendre.

— Bon, mais il y a encore des tas de choses que tu dois essayer de comprendre et je crois que ça ira si tu y mets du tien.

Vito opina de la tête dans la pénombre de la cabine. Horacio demanda :

— Ça va ce que je te dis ?

— Bien sûr ça me va.

— J'ai jamais réussi à garder personne ici, et je suppose que pour la plupart c'est parce que je n'ai jamais réussi à les payer assez. Mais quand des fois je les payais assez, ils s'en allaient quand même. Et c'est peut-être à cause des choses qu'il y a à comprendre.

Vito recommença d'opiner dans la pénombre. Non pas qu'il comprît qu'on s'en aille même si on était assez payé. Non, il marquait simplement beaucoup d'attention à ce que lui racontait Horacio.

— Ou alors c'est peut-être autre chose, dit Horacio. J'ai réfléchi à ça. C'est peut-être que simplement il y a des types avec qui on a envie d'être, et d'autres comme moi, non, on n'en a pas envie. Et c'est tout ce qu'il y a à en dire et ça va pas plus loin. Et tu peux retourner ça dans ta tête pour essayer de comprendre pourquoi, tu y arriveras pas.

— Moi pour le moment ça va.

— Bon. Mais j'aimerais te payer mieux.

Après un instant Vito demanda :

— Qu'est-ce qu'il y a encore que je dois comprendre ?

Horacio jeta un œil sur sa gauche, revint à la route, et réfléchit un instant.

– Alors je te le redis, essaye des fois de foutre la paix aux moutons. Je veux dire, c'est pas autre chose que des moutons, tu vois ? Tu vas finir un jour par les embrasser sur la bouche.

Vito ne dit rien. Horacio secoua la tête et se mit à rire.

– Tu n'aimes jamais quand je te dis ça, hein ?

– Non.

Horacio recommença de rire.

– Tu m'as demandé, Vito.

3

Soudain un lapin surgit sur la route, assez loin dans les phares. Il courut entre les ornières un instant. Puis il sauta dans le champ et disparut dans l'obscurité.

– Tu l'as vu ? demanda Horacio.

– Oui, je l'ai vu quand il a sauté, répondit Vito d'une voix précipitée.

– Alors écoute bien, lui dit Horacio presque posément, sans quitter la route des yeux. Il y a des chances qu'il revienne à cause des phares. Prends le fusil, charge-le, les cartouches sont dans mon manteau.

Vito se tourna rapidement vers les manteaux. Horacio dit d'une voix ferme :

– Non, attends que j'aie fini de t'expliquer !

Vito fixa le profil d'Horacio.

– Bon, tu prends deux cartouches dans mon manteau, tu les charges et tu poses le fusil sur mes genoux, mais le referme pas, tu laisses les canons ouverts.

Vito fouilla dans les poches du manteau. Il trouva la boîte de cartouches. Il l'ouvrit et la posa entre ses jambes. Ensuite il saisit le fusil.

– Tu as compris, tu le refermes pas, dit Horacio à voix basse, penché sur le volant et tentant d'apercevoir le lapin dans l'obscurité au-delà des phares.

– Oui, j'ai compris, dit Vito.

Il ouvrit la boîte et chargea deux cartouches de plomb. Horacio vérifia d'un coup d'œil par réflexe.

– Voilà. À présent pose-le sur mes genoux, la crosse vers toi et les canons vers ma portière !

Vito empoigna la crosse des deux mains et posa délicatement le fusil ouvert sur les genoux d'Horacio. Puis il se pencha en avant et recommença de surveiller la route. Au même instant, Horacio ralentit, et on aurait pu alors marcher à côté du camion, à la même vitesse que lui et sans trop se presser.

– Vous croyez qu'on va le revoir ?

– Je sais pas.

– Ou même un autre ?

– Ouvre les yeux !

Ils passèrent entre des pins. Il y avait une coupe de bois de chaque côté, et des troncs nus alignés à plat et des branches montées en tas. Les ornières étaient plus profondes par ici et plus nombreuses à cause des engins qui avaient travaillé à cette coupe. Il y avait des épines de pins et des bouts d'écorce répandus partout.

Ils sortirent du bois de pins et roulèrent encore quelques minutes au pas.

– Foutu le camp ! dit Horacio, tournant la tête pour regarder sur le bas-côté.

Alors soudain un lapin apparut à droite de la route, bifurqua brusquement et se mit à détaler sur la neige entre les deux ornières. Vito l'avait aperçu en premier, mais il n'eut pas le temps de le dire parce que Horacio déjà stoppait le camion et tirait le frein. Le camion continua d'avancer en glissant sur la neige glacée. Quand il s'arrêta, Horacio empoigna le fusil et referma les canons. Puis il ouvrit la portière, sauta sur la route et s'élança dans le faisceau des phares derrière le lapin en serrant bien le fusil dans ses mains, et préférant courir dans l'ornière plutôt que dans la neige.

Il fit comme ça une dizaine de mètres, puis son pied glissa sur la glace de l'ornière et il s'affala dans la neige. Il roula sur une épaule. Il planta la crosse dans la neige et se releva en prenant appui sur le fusil.

Il se remit à courir.

Il arriva bientôt hors de portée des phares, alors il commença d'épauler son fusil. Mais, sans le ballant des bras pour se tenir en équilibre, il glissa de nouveau.

Il resta un moment sans bouger, couché sur le côté. En tombant, il avait lâché le fusil, qui avait glissé la crosse en avant dans l'ornière. Finalement il se dressa sur les genoux, puis sur ses jambes, et il chercha où était passé le fusil. Il revint vers le camion en marchant pesamment et avec précaution au milieu de la route, légèrement courbé en avant et la tête de côté pour éviter l'éclat des phares.

Vito ne l'avait pas quitté des yeux depuis qu'il était sorti de la cabine. Même lorsqu'il avait quitté le faisceau des phares. Et tandis qu'à présent il revenait, courbé et lent, mais cependant de plus en plus grand et solide à mesure qu'il se rapprochait, à présent donc Vito le fixait avec encore plus d'intensité.

Horacio grimpa sur le marchepied et jeta un œil aux moutons. Ensuite il déverrouilla les canons et s'installa dans le camion. Il avait un peu de sang au coin de la lèvre, et il souriait. Il tendit les cartouches à Vito et remit le fusil à sa place.

– Range-les !

– Vous auriez pu l'avoir, dit Vito.

Horacio avait les deux mains sur le volant et reprenait son souffle en regardant le plafond de la cabine.

– Oui, dit-il. Mais j'aurais pu aussi me casser la gueule deux fois.

Vito n'était pas sûr d'avoir compris l'astuce. Il rangea les cartouches dans leur boîte sans rien répondre.

Horacio desserra le frein et passa une vitesse. Puis soudainement remit au point mort, descendit la vitre de son côté, et hurla dans la nuit des mots à l'adresse du lapin que Vito ne parvint pas à comprendre. Les moutons s'affolèrent à l'arrière.

– On repart, ça va les calmer, dit Horacio en remontant sa vitre.

Il enclencha la vitesse. Le camion démarra lentement.

Horacio se frottait la jambe d'une main, et de l'autre tenait le volant. Il se penchait en avant pour voir la route. Vito l'observait. Au bout d'un instant il dit :

— Vous saignez.

Horacio secoua la tête pour dire qu'il le savait. Il passa la seconde, et le camion retrouva sa vitesse de tout à l'heure, avant qu'ils aperçoivent le lapin.

— Jette un œil sur les bêtes ! dit Horacio.

Vito se retourna, s'agenouilla sur son siège, mit ses mains en cornet devant les yeux, et il regarda par la vitre.

— Ça va, dit-il.

— Prends le sac, lui demanda Horacio. Et donne-moi la bouteille d'eau de Cologne.

Vito la déboucha et la lui tendit. Horacio s'aspergea le cou. Il rendit la bouteille à Vito et se frotta vigoureusement le cou et le visage avec l'eau de Cologne. Il tira la nuque en arrière pour finir de se détendre.

— Essaye de dormir, toi, dit-il.

Vito rangeait la bouteille dans le sac.

— Je sais pas si j'ai envie de dormir.

— Fais comme tu veux, lui dit Horacio sur un ton compréhensif.

Ils roulèrent encore pendant une heure sur cette route en direction du sud, et puis le jour commença de se lever très loin derrière une barre rocheuse. C'était une clarté blanche et orange.

Ils atteignirent la route nationale. Elle était dégagée et bien noire. La neige formait des congères de chaque côté. Ils tournèrent à droite sur la nationale. Elle descendait dans des gorges en direction de l'ouest. Le soleil apparut derrière la barre rocheuse au loin dans leur dos, mais ils ne le virent pas à cause de l'encaissement des gorges. Sauf par moments, où il éclairait le haut des sapins qui poussaient tout en haut des escarpements.

Ils continuèrent de rouler les phares allumés.

Suivant à peu près le tracé de la route, un torrent coulait au fond de la gorge, à droite, du côté de Vito. Il aurait aimé le regarder, mais ça lui était difficile de l'apercevoir bien longtemps parce que Horacio conduisait au milieu de la route. Il coupait les virages afin de ménager l'équilibre des bêtes sur la plate-forme.

4

Ils descendaient à pied vers la rivière. C'était le même cours d'eau qu'ils avaient longé dans les gorges. Il était sorti des rochers plus haut en amont, puis la pente s'était adoucie, le lit s'était élargi, et maintenant il était devenu cette rivière.

Ils s'enfonçaient dans la neige jusqu'aux genoux. Ils touchèrent la berge, et Vito s'assit sur les talons pour regarder le fond de l'eau. Horacio demeura debout et plia sur ses jambes plusieurs fois.

La berge où ils se tenaient était dans l'ombre. En face, de l'autre côté de l'eau, c'était déjà au soleil. Et il y avait des peupliers et des pins plantés tout le long. Au milieu de la rivière, il y avait une grosse branche coincée dans le courant, et la partie émergée était couverte de neige.

Horacio s'accroupit à côté de Vito. Vito se tourna vers lui et dit en désignant le coin de sa bouche :

— Vous avez encore du sang, là.

Horacio trempa la main dans l'eau et s'essuya la bouche.

— Et maintenant ?

Vito observa de plus près.

— Oui ça va.

— Trempe-toi aussi un peu la figure !

— Oh non ! dit Vito.

De l'autre côté de la rivière, derrière les peupliers et les pins, la berge remontait et formait une colline. La pente était lisse et blanche, et brillait au soleil.

— On a oublié d'emmener un seau pour faire boire les moutons, dit Vito.

— Oui on l'a oublié, dit Horacio distraitement.

Il observait le haut de la colline en face. Un homme s'y tenait. Vito leva la tête et l'aperçut aussi. L'homme avait l'air de regarder le camion, garé sur la route derrière eux. Soudain il entreprit de dévaler la pente à grands pas, courant presque, et s'enfonçant dans la neige jusqu'aux genoux.

— Va se casser la gueule, dit Horacio sur le ton de l'évidence.

Mais à mi-pente il tenait encore debout et n'avait pas l'air de vouloir ralentir. Vito dit sans le quitter des yeux :

— Peut-être qu'il va pas se casser la gueule.

Finalement l'homme passa entre deux peupliers, et enfin ralentit et s'arrêta au bord de l'eau. Il portait un bonnet à visière et cache-oreilles. Il respirait vite et souriait la bouche ouverte.

— J'ai bien failli me casser la gueule, non ? lança-t-il par-dessus la rivière.

— Oui, dit Horacio sans bouger, toujours accroupi à côté de Vito. C'est ce qu'on a cru aussi.

— Vous avez une cigarette ? demanda l'homme précipitamment.

Horacio se redressa et chercha son paquet dans son manteau. Sur l'autre berge, l'homme s'approcha encore. Ses chaussures touchaient presque l'eau maintenant. Horacio tira une cigarette du paquet et il la considéra un instant. Puis il évalua la distance entre lui et l'homme de l'autre côté. Il dit assez fort :

— Oui mais je pourrai pas vous l'envoyer par-dessus la rivière, c'est trop large. C'est léger une cigarette, vous voyez ?

L'autre en face regarda une fois vers l'aval, une fois vers l'amont, puis sembla réfléchir.

Horacio lui demanda :

– Il n'y a pas un endroit où c'est moins large qu'ici ?

Vito s'était relevé, prêt à y aller pour lui porter la cigarette. Mais l'homme secoua la tête négativement pour leur dire que non il n'y avait pas d'endroit moins large.

– Pas de chance, dit Horacio.

Puis soudain il reprit son paquet et lança :

– Ça va, j'ai une idée.

Il ôta le papier aluminium du paquet. Il l'enroula autour de la cigarette et serra bien les deux bouts. Il se baissa pour confectionner une boule de neige et y introduisit la cigarette ainsi enveloppée. Il lança la boule au-dessus de la rivière. Elle atterrit sur l'autre rive. L'homme déballa la cigarette du papier aluminium et sortit une boîte d'allumettes de sa poche.

Il commença de fumer, debout sur la berge et en silence, et en considérant Horacio et Vito très tranquillement. Et parfois il levait vers eux la main qui tenait la cigarette et il leur adressait un sourire en forme de remerciement.

– Qu'est-ce que vous faites ? leur demanda-t-il.

Horacio montra le camion en haut sur la route :

– On transporte ces moutons-là, on va les vendre.

– À qui ?

– Oh non vous le connaissez pas, dit Horacio. C'est encore loin. On s'est levés cette nuit pour partir.

– Dites-moi son nom pour voir !

Horacio souleva les épaules.

– Je m'en souviens pas, dit-il. J'ai sa lettre dans le camion.

L'homme fit signe de la main qu'il comprenait, et que ça n'avait pas d'importance en fait. Il continua de fumer un peu et dit :

– Alors vous vendez des moutons.

– Voilà, dit Horacio.

– Moi j'ai vingt-sept ans demain ! lança soudain l'autre avec passion.

Vito leva les yeux vers Horacio, attendant de voir ce qu'il allait lui répondre. Mais Horacio restait muet. Il clignait des yeux parce que le soleil reflétait sur la pente de neige en face. Vito lui murmura :

– Dites-lui qu'il est cinglé.

Horacio baissa la tête.

– Dis-lui, toi.

L'homme en face les regardait fixement. C'était difficile de savoir s'il attendait qu'on lui réponde quelque chose à propos de son âge. Il se contentait de les regarder.

Finalement il ouvrit la bouche et la referma, et il baissa les yeux sur la rivière. Puis il s'en alla soudain. Il tourna les talons et remonta lentement la pente dans les traces qu'il avait creusées pour descendre. Ils le suivirent du regard jusqu'au moment où il atteignit le haut de la colline. Lorsqu'il commença de disparaître derrière l'autre versant, Vito demanda :

– Il est cinglé ?

– J'en sais rien.

– Moi je crois.

L'homme avait complètement disparu derrière la colline maintenant.

– J'ai rien su quoi lui dire, dit Horacio avec étonnement.

Il commençait à faire plus chaud. Le soleil était monté. Ses rayons avaient traversé la rivière et atteint leur berge. Ils restèrent encore un moment là au soleil, puis remontèrent vers le camion.

Vito grimpa sur la plate-forme. Il attendit qu'Horacio fût installé dans la cabine, puis il saisit à deux mains la tête d'un mouton et l'embrassa sur la bouche. Il se redressa et leva la tête, et comme il attrapait la tête d'un autre mouton Horacio frappa plusieurs coups dans la lunette arrière. Vito sauta de la plate-forme et monta dans le camion.

Il dévisagea Horacio avec triomphe et ironie. Horacio lui demanda :

– Tu penses que j'aurais dû lui dire quelque chose ?

– Quoi ?

– Le type, à la rivière, à propos de son âge.

Vito joignit ses mains entre ses jambes et les regarda pour réfléchir. En attendant sa réponse, Horacio démarra. Il desserra le frein et se tourna vers Vito :

– Alors ?

– Je sais pas, mais en tout cas ça a été une bonne idée d'emballer la cigarette comme vous l'avez fait.

– C'est vrai, tu trouves ?

– Oui, dit Vito.

Et un instant après, tandis qu'Horacio appréciait avec fierté ce jugement de Vito, celui-ci dit :

— C'est dommage qu'on n'ait pas pris de seau.

5

Derrière eux, on ne voyait presque plus le plateau qu'ils avaient quitté en descendant les gorges. Ils roulaient maintenant sur une plaine blanche, et parfois il y avait des vallons. C'était presque tout le temps derrière ces reliefs qu'on apercevait de la fumée monter dans le ciel. Loin sur l'horizon, vers le sud, il y avait la lisière d'une forêt.

La route était toujours noire et bordée de congères. Elle longeait le lit de la rivière depuis la sortie des gorges. La rivière coulait à une cinquantaine de mètres à droite de la route. Son eau était basse et claire. Vito l'observait depuis qu'ils étaient repartis. Quand il y avait un pont ou du bois flottant qui la barrait, ou autre chose de particulier, il tournait la tête pour voir ces choses-là le plus longtemps possible.

Puis pendant plusieurs kilomètres il n'y eut plus rien à voir sur la rivière. Alors il ferma à moitié les yeux.

– J'aimerais qu'on soit déjà au col, dit-il.

– Moi aussi, dit Horacio. En haut du col, même.

Vito demanda :

– Et s'il y a de la neige ?

– S'il y a de la neige ? répéta Horacio. Ça fait longtemps que je pense à ça.

– Alors ? insista Vito.

– Alors on verra.

Il jeta un œil au tableau de bord.

– S'il n'y a pas de neige je serai content. Comme je serai content.

Sa voix était très basse et couvrait juste le bruit du moteur. Vito demanda de la même hauteur de voix :

– On pourra essayer de monter s'il y en a ?

– Il le faudra bien, oui, dit Horacio.

– On mettra les chaînes ?

– Oui on les mettra.

Tout de suite après il demanda anxieusement :

— Elles sont dans le coffre ? Tu les as vues ?

— Oui, dit Vito avec certitude.

Horacio s'alluma une cigarette en tenant le volant avec ses genoux. Il fuma un moment en silence, et Vito se remit à observer la rivière, puis soudain Horacio dit :

— Il y a une chose vraiment épatante quand on passe le col en hiver.

Vito se tourna vers lui pour l'écouter. Horacio donnait des petits coups de tête comme s'il avait déjà commencé à se raconter la chose épatante.

— Qu'est-ce que c'est alors ? demanda Vito mais sans marquer d'impatience.

— C'est que dès qu'on redescend de l'autre côté il y a moins de neige, et des pins maritimes à la place des mélèzes. Doit y avoir un vent plus chaud sur l'autre versant.

Vito ne dit rien et Horacio demanda :

— Qu'est-ce que tu t'imaginais, à quoi tu pensais ? À des filles debout dans la neige qui nous attendraient ?

Vito se mit à rire.

— Ah oui, dit Horacio. Tu pensais à ça.

— Non. Mais ça serait quand même mieux que des pins maritimes.

Horacio l'approuva d'abord de la tête, et dit :

— Je suis d'accord, mais il n'y en aura pas. On peut seulement compter sur les pins maritimes.

Le camion amorça un long virage sur la gauche. Vito se tourna pour apercevoir la rivière. Elle continuait toute droite, en sorte qu'il la vit s'éloigner, puis disparaître complètement.

— Faudrait bientôt s'arrêter pour les moutons, dit Vito en se retournant pour les observer par la lunette.

— Qu'est-ce qu'ils font ? demanda Horacio.

— Rien, dit Vito.

— Alors je vois pas pourquoi on s'arrêterait.

— On pourrait trouver quelque chose pour les faire boire.

— On n'a rien.

— On aurait dû prendre un seau.

— Merde, Vito, je le sais. Et c'est ton travail aussi de prévoir ça, non ?

— Je l'ai oublié, alors je voudrais qu'on cherche une idée pour le remplacer.

Horacio tonna :

– Tu vas arrêter de me parler de ça !

Vito se raidit.

– Oui, tu vas arrêter, répéta Horacio moins fort.

Et comme à lui-même :

– Oui, arrête de m'emmerder avec ce seau.

Puis pendant un long moment il conduisit le regard tendu. Parfois il lâchait une main du volant et se frottait la nuque. Finalement il s'adossa à son siège et parut tranquille.

Vito regardait devant lui. Il avait glissé les mains sous ses cuisses, et par instants le coin de ses lèvres bougeait, et il passait la langue dessus et se mordait doucement la lèvre inférieure.

Soudain Horacio dit posément :

– Alors écoute bien ! Au sujet des bêtes, te crois pas tout le temps meilleur que moi avec elles. Voilà encore une des choses que tu dois comprendre.

Vito répondit :

– Non, j'ai jamais dit que j'étais meilleur.

– Alors t'imagines pas que je les laisserais crever de soif.

– Je l'ai jamais pensé.

– Tant mieux, dit Horacio à voix basse.

En sorte que Vito demanda :

– Quoi ?

– Tant mieux que tu l'aies jamais pensé.

Presque aussitôt il balaya le paysage d'une main et dit :

– À présent tu vas surveiller et me dire où tu vois de la fumée. On va essayer de trouver une ferme ou une baraque pour avoir un seau.

Vito se dressa et scruta attentivement la plaine de chaque côté de la route.

– Vous en faites pas, dit-il. Regardez la route, je surveille aussi de votre côté.

De nouveau ils longèrent la rivière.

Ils dépassèrent un pont.

– Là-bas il y en avait de la fumée ! s'écria Vito. Quand on a dépassé le pont.

Horacio ralentit. Il s'arrêta, repartit en marche arrière, puis tourna à droite pour franchir le pont et s'engager sur la route secondaire. Elle était couverte de neige damée. Vito pointa la main vers la fumée :

– Vous la voyez ?

Horacio fit oui de la tête.

Ils roulèrent sur du plat pendant un moment. Ils gravirent une pente et, arrivés en haut, ils virent en contrebas des bâtiments en brique, et à côté la maison d'où provenait la fumée.

— Vous voulez que je descende à pied le demander ? demanda Vito.

— Non, dit Horacio. Je vais faire attention.

6

Il entama la descente très doucement. Il resta bien au milieu de la route jusqu'en bas. Ils passèrent devant le premier bâtiment et tournèrent à gauche pour s'engager dans la cour. C'est à ce moment qu'ils entendirent le cochon. Horacio freina. Vito se rapprocha du pare-brise. Le cochon était attaché par le cou à un piquet fiché dans le sol. Un homme lui tenait les pattes arrière, et un autre lui versait de l'eau bouillante sur le dos à l'aide d'une boîte de conserve. Il puisait l'eau dans une grande bassine en fer qui fumait, posée sur un grand brûleur à gaz. Une femme était debout devant la porte de la maison. Elle avait les bras croisés sur sa poitrine, et elle regardait le camion.

Horacio tourna son regard vers Vito, puis de nouveau vers la cour.

– Seigneur tout-puissant ! Mais pourquoi ils l'égorgent pas avant de l'ébouillanter ! coassa-t-il.

L'homme qui versait l'eau bouillante leva les yeux vers le camion et resta sans bouger, la boîte de conserve en suspens au-dessus du cochon, et l'autre, celui qui tenait les pattes, regarda aussi vers le camion.

Vito s'était rapproché du pare-brise, et sa tête s'était mise à osciller d'avant en arrière. Horacio ouvrit la bouche et serra le volant. À ce moment-là, le cochon, qui gueulait toujours, tenta de se libérer les pattes arrière. L'homme qui les tenait s'arc-bouta pour ne pas lâcher sa prise. Et il tint bon.

– Dieu du ciel ! marmonna Horacio.

Et il posa une main sur le levier de vitesse.

Il passa trop vite la marche arrière et le moteur cala. Plus de bruit de moteur soudain. Les gueulements du cochon semblèrent alors entrer dans la cabine. Horacio redémarra et faillit encore caler, mais finalement parvint à sortir de la cour. Il passa la première et il remonta la route. Parvenu en haut, il stoppa le camion et dit d'une voix rentrée :

– Regarde voir si je les ai pas trop bousculés.

– Quoi ? demanda Vito.

– Regarde les moutons si ça va !

Vito se retourna et les observa. Il hocha la tête et dit rapidement :

– Oui ça va.

Horacio tendit la main et lui effleura l'épaule.

– Et toi, comment tu te sens ?

Vito resta silencieux.

Horacio lui retoucha brièvement l'épaule.

Vito recommença d'osciller la tête d'avant en arrière comme tout à l'heure. Horacio serra le frein. Il saisit le fusil et ouvrit sa portière. Il prit une poignée de cartouches dans la boîte. Il pivota sur son siège et coinça les cartouches entre ses jambes. Il chargea le fusil et, pointant le canon vers le ciel, il tira.

Il rechargea et tira à nouveau.

Et encore une troisième fois sans hâte.

Puis il prit la dernière cartouche, se tourna vers Vito et lui demanda muettement s'il voulait la tirer, lui. Vito sembla réfléchir. Il sourit légèrement en faisant non de la tête. Horacio rechargea et tira. Il attendit en regardant le ciel que la détonation se soit complètement évanouie. Puis il referma la portière.

Il rangea le fusil entre les sièges et s'alluma une cigarette.

Ils retrouvèrent le pont et la route nationale. Horacio passa toutes les vitesses tout doucement, encore plus doucement que d'habitude, et un peu après qu'il eut passé la quatrième Vito demanda :

— Vous croyez que les plombs sont retombés sur eux ?

— Je crois pas, non, et c'est pas ce que j'ai voulu faire.

— Je sais, dit Vito.

Il prit son manteau. Il le plia et l'installa dans l'angle de son siège et de la portière. Il se tourna sur le côté et posa sa tête dessus. Horacio acheva sa cigarette et jeta le bout sur la route.

— Oui, dors un peu, dit-il.

Ensuite il plaisanta :

— Je te réveillerai quand on aura passé le col.

— Non, réveillez-moi avant.

Il souleva sa tête. Alors seulement il comprit la plaisanterie d'Horacio à propos du col. Ils en étaient encore si loin que ça signifiait qu'il allait dormir de très longues heures, presque jusqu'au soir. Il haussa les épaules et reposa sa tête sur le manteau.

7

Vito ouvrit les yeux. Il vit la main d'Horacio posée
sur le levier de vitesse, le haut du volant et l'éclat du
soleil sur le pare-brise. Il se redressa et regarda par la
vitre de sa portière. La plaine avait changé. Il y avait
des arbres et des clôtures barbelées, et les reliefs
étaient plus marqués. Par endroits, la neige avait
fondu, surtout au pied des arbres.

— J'ai dormi longtemps ?
— Presque une heure.
— J'ai encore parlé ?
— Oui.
— J'aime pas ça.
— Je sais, mais ne t'en fais pas, j'ai encore rien
compris.

– Pas un seul mot ?

– Non.

– Ça me plairait pas, vous comprenez ?

Horacio fit oui de la tête assez solennellement.

– Bien sûr, dit-il ensuite. Personne n'aimerait ça.

Puis il ajouta :

– Tu as seulement l'air en colère des fois.

– En colère ?

– Oui.

Vito attendit un instant avant de dire avec lenteur :

– Je crois que j'ai rêvé au cochon, mais pas directement.

– Essaye de ne plus y penser.

– Ça avait à voir avec un cochon dans mon rêve, mais pas directement avec celui-là.

– Oui je vois ce que tu veux dire. Ça m'arrive aussi de rêver de cette façon-là.

– J'ai continué à le regarder jusqu'à ce qu'on ait quitté la cour.

– Oui je t'ai vu, dit Horacio. Ça a été plus facile pour moi, j'avais le camion et la marche arrière à m'occuper, mais écoute, ça sera mieux pour tous les deux si on essaye de ne plus y penser.

Sa voix était assez grave. Il s'arrêta. Quand il reprit, c'était avec légèrement moins de gravité :

– Mais avant, tu sais ce que j'ai décidé ? Enfin, plutôt ce que je me suis dit pendant que tu dormais ?

– Non, dit Vito.

– Eh bien, qu'au moment où je tirais les cartouches, ils l'égorgeaient et que c'était fini, il avait fini de gueuler pour de bon.

Vito se mâchonna l'intérieur de la lèvre, le regard fixement accroché à la route et méditant sur ce que venait de lui dire Horacio. Horacio ne l'observa qu'une seule fois en coin. Ensuite il attendit. Au bout d'un moment et sans quitter la route des yeux, Vito secoua la tête d'un air dubitatif.

– Possible, dit-il. Mais possible aussi que ça se soit passé après. Je sais pas, peut-être quand on a recommencé à rouler sur la route nationale. Ou alors avant la nationale, en repassant sur le pont.

– Non tu as pas compris, dit doucement Horacio avec indulgence. Je sais, personne peut dire quand il a arrêté de gueuler, mais c'est justement la raison pour quoi j'ai eu envie de me le décider pour moi, ce moment-là, histoire de plus me tourmenter avec ça.

Il se tut là. Comme s'il craignait que son raisonnement, exposé maintenant tout haut, lui apparaisse d'un seul coup vaseux. Qu'il ne tenait justement et uniquement parce qu'il n'avait pas à l'expliquer. Qu'en l'expliquant à voix haute il lui échappe complètement. Et qu'ainsi donc, à nouveau, la question le tarauderait, à savoir combien de temps encore le cochon avait souffert avant que les hommes de la ferme l'égorgent.

Le silence dura.

— Bon Dieu c'est difficile ce que j'essaye de t'expliquer, reprit Horacio avec précaution. J'ai simplement eu besoin de décider qu'à un moment donné le cochon ne souffrait plus, tu vois ? Qu'ils l'avaient tué pour de bon. Mais je sais, c'est pas moi qui leur ai donné le signal en tirant, c'est pas ça du tout, c'est pas ce que je veux dire. Mais simplement que le moment que je me suis choisi pour moi, c'est quand j'ai tiré les cartouches. Voilà, c'est tout.

Il garda de nouveau le silence. Soudain Vito acquiesça de la tête de plusieurs mouvements amples et lents, et murmura :

— Je vois.

— C'est vrai ? demanda Horacio avec surprise.

— Oui, dit Vito plus fort et continuant d'acquiescer largement.

— Tant mieux, dit Horacio. Et est-ce que ça te va, le moment que j'ai choisi, celui où j'ai tiré les cartouches?

— Oui, c'est très bien ce moment-là.

— Tu l'aurais pris, toi aussi?

— Sûrement.

— Alors on se le prend pour tous les deux?

— Oui, on prend celui-ci, dit Vito avec dans la voix une expression sérieuse.

Horacio parut content et soulagé. Il dit:

— C'est bien.

Et presque dans la foulée:

— Alors à présent on n'y pense plus.

Il lâcha sa main du levier de vitesse pour porter son index devant sa bouche. Il reposa sa main sur le volant et annonça:

— J'ai trouvé comment faire boire les bêtes pendant que tu dormais. On va découper le jerrican. Tu l'as vu aussi dans le coffre? Est-ce qu'il y était?

— Oui, il y est, et je le ferai si vous voulez, je le découperai.

— Alors je m'occuperai du repas.

— Je crois que j'ai faim, dit Vito.

— Regarde de ton côté si tu vois un beau coin pour s'arrêter.

Vito étudia le paysage de son côté.

— Mais alors un joli coin, hein, lui répéta Horacio.

Vito hocha rapidement la tête.

Des beaux coins il en voyait. Mais ils étaient tous de l'autre côté de la rivière, et de ponts pour s'y rendre, il n'y en avait pas pour le moment.

— Même un seul mot ça me gênerait, dit Vito sans quitter le paysage des yeux.

— Qu'est-ce que tu dis ? demanda Horacio.

— Quand je dors, dit Vito. Ce que je raconte quand je dors. Ça me gênerait que vous compreniez un seul mot.

Horacio baissa sa vitre et dit :

— Regarde une bonne fois ce que je fais ! Regarde bien alors !

Il cracha dehors de toutes ses forces. Il dit en remontant la vitre :

— Je te promets que j'ai jamais compris un seul mot de ce que tu racontes quand tu dors.

Vito le considérait en silence.

Horacio l'interrogea :

– Alors maintenant ?

Vito ne répondit pas tout de suite. Horacio fit mine de vouloir redescendre sa vitre.

– Je vous crois, dit Vito.

Il se tourna vers la droite et recommença de surveiller le paysage.

8

Ils avaient trouvé un coin où la neige avait fondu.
Entre des peupliers et un ruisseau, pas très loin de
la route nationale. L'herbe était couchée et jaunie,
et il y avait des feuilles jaunes et sèches tombées
des peupliers et répandues partout. Derrière la rangée de peupliers, il y avait un champ de pêchers
alignés.

Vito était assis sur le marchepied, le jerrican
coincé entre ses jambes. Il le découpait en se ser-
vant du couteau comme d'une scie. Tout à l'heure,
quand il avait sauté de la plate-forme avec le
jerrican, Horacio, lui, s'était éloigné en longeant le
ruisseau et s'était accroupi là-bas un moment.

Il revenait à présent. Il avait ouvert son manteau.

Vito se leva et alla remplir la moitié de jerrican dans le ruisseau. Horacio le rejoignit près du camion.

– Passe-le-moi et monte !

Vito grimpa sur la plate-forme et Horacio lui tendit le récipient. Vito présenta l'eau à hauteur des moutons. Horacio souffla :

– Pose-le donc et laisse-les se démerder un peu, ces bêtes.

– Laissez-moi faire au moins une fois comme je veux, dit Vito en se redressant et considérant Horacio avec impatience.

– Fais comme tu veux, dit Horacio.

Et il monta dans le camion chercher le sac.

Il redescendit et posa le réchaud dans l'herbe. Il mit une casserole dessus et la remplit de café qu'il versa d'une bouteille. Il sortit deux tasses en fer-blanc du sac. Il fabriqua des sandwichs. Il les aligna dans l'herbe et attendit Vito. Quand Vito sauta de la plate-forme, Horacio partagea les sandwichs, et ils mangèrent en silence, assis sur l'herbe l'un en face de l'autre.

– Oui c'est bien, dit soudain Horacio.

Vito dressa la tête.

– Quoi ?

Horacio leva la main qui tenait le sandwich pour désigner les alentours :

– Ici. Tu as trouvé un beau coin.

– C'est vrai ?

– Oui, dit Horacio. J'aime bien ce coin-là.

Vito regarda devant lui, puis rapidement sur les côtés, et il hocha positivement la tête comme s'il découvrait tout d'un coup l'endroit.

Ils entendaient le ruisseau couler tout près. Il n'avait pas beaucoup de courant. Il coulait si lentement qu'il fallait s'arrêter de mâcher pour l'entendre. De temps en temps Horacio le faisait. Au bout d'un moment il s'arrêta de manger. Il posa ses avant-bras sur ses genoux et dirigea son regard vers le ruisseau. Il l'observa pendant un instant.

– Tu as déjà vu une loutre ? demanda-t-il.

– Une loutre ?

Horacio quitta le ruisseau des yeux.

– Oui, dit-il.

– Non, j'en ai jamais vu, dit Vito. Je sais à quoi ça ressemble à peu près. Mais j'en ai jamais vu. Je crois pas, non.

Horacio termina son sandwich. Il tendit la main et tira le sac à lui. Il sortit une bouteille de bière et la décapsula. Il en but la moitié d'un trait. Il la posa dans l'herbe et dit :

— Moi, la seule que j'ai vue, c'était sur une photographie.

— Ah ! dit Vito.

— Oui, la seule loutre que j'ai vue, c'était sur une photographie. Elle était dressée sur ses pattes de derrière, elle tenait un tuyau dans ses pattes de devant et elle regardait dedans.

— Dans le tuyau ?

— Oui, voilà, dit Horacio. Elle regardait dans le tuyau.

Puis il entrouvrit la bouche pour ajouter quelque chose. Mais entre-temps Vito avait ramassé une feuille de peuplier. Il l'avait posée sur un genou et maintenant il soufflait dessus pour tenter de la faire tourner comme une hélice. Horacio referma la bouche et le regarda faire. Il sortit ses allumettes. Il les lança par-dessus le réchaud, juste entre les chaussures de Vito.

— Allume le réchaud !

Vito fit s'envoler d'un coup la feuille de peuplier, et encore un peu elle tombait dans la casserole. Il posa son sandwich dans l'herbe pour allumer le réchaud. Tandis qu'il tendait la main pour rendre les allumettes Horacio lui dit :

— C'était une jolie loutre.

— Sûrement, dit Vito, hochant brièvement la tête et réglant ensuite la flamme du réchaud. Je crois aussi que c'est des jolies bêtes, oui.

— Où est-ce que tu en as vu ?

— Je vous ai dit, j'en ai jamais vu vraiment, mais je sais à quoi ça ressemble.

Horacio acheva de boire sa bière. Il s'alluma une cigarette et fixa les herbes jaunes entre ses jambes. Vito surveillait le café, accroupi devant. Il éteignit le réchaud et versa le café dans les tasses. Il en tendit une à Horacio. Il retourna s'asseoir et tint sa tasse serrée entre ses paumes pour les réchauffer.

— Vous avez jamais mis de sucre dans votre café ?

— Je crois que si, mais il y a longtemps.

— Moi jamais, dit Vito.

— T'as jamais essayé ?

— Non.

À ce moment-là les moutons se mirent à piétiner sur la plate-forme et à renâcler. Plusieurs têtes se dressèrent au-dessus des croupes, disparaissant aussitôt, et d'autres têtes apparurent par-dessus la ridelle, et il y eut des bêlements apeurés.

– Bois ton café et monte voir ce qu'ils foutent encore !

Vito avala son café en deux gorgées. Il se releva et grimpa sur la plate-forme en gueulant aux moutons qu'il arrivait.

– Vas-y, affole-les encore un peu plus, merde alors, dit Horacio à voix basse, pour lui-même et sans colère.

Il jeta sa cigarette et but son café en regardant devant lui. Ensuite il prit une tasse dans chaque main et se redressa. Il alla jusqu'au ruisseau. Il rinça les tasses et revint les poser près du réchaud sans prêter d'attention à ce qui se passait sur la plate-forme. Il repartit tranquillement vers le ruisseau. Il le remonta jusqu'à un endroit où il avait débordé et formé une sorte de mare d'un mètre sur deux à peu près, et profonde d'une dizaine de centimètres. Elle était devenue indépendante du ruisseau car les eaux du ruisseau avaient baissé et ne l'alimentaient plus.

Il n'y avait pas le moindre souffle de vent. La mare était limpide, et Horacio, qui s'était accroupi devant, observait les herbes au fond. Elles étaient semblables aux autres herbes de l'endroit, mais cependant elles lui semblaient plus vivantes à travers l'eau.

Elles lui semblaient autre chose également, ces herbes au fond de l'eau. Elles lui évoquaient une sorte de monde miniature et à l'écart. Étrangement rassurant aussi. D'une grande beauté. D'une simplicité incroyable. Quelque chose d'assez indéfinissable en fin de compte.

Alors il pensa : C'est toujours comme ça.

Oui, chaque fois qu'il voyait de ces mares minuscules qui s'étaient formées pendant la pluie dans les champs, ça lui faisait ce genre d'impression de voir les herbes sous l'eau. Il ne parvenait pas à se lasser de contempler ces mares. Probablement parce qu'il n'avait encore jamais réussi à bien définir le plaisir qu'elles lui procuraient.

Il se redressa, se dirigea vers les peupliers et pissa au pied d'un peuplier en regardant les pêchers. Il aperçut plusieurs pêches pourries qu'on n'avait pas ramassées.

Il alla jusqu'aux pêchers pour tâter un des fruits oubliés et le sentir. Il était gelé et ne sentait plus rien du tout.

Il retourna vers le camion, et, comme il y arrivait, Vito sauta de la plate-forme, la moitié de jerrican dans la main.

— Je les ai calmés, dit-il.

— Ils ont bu ?

— Pas tous.

— Range-moi tout ça ! lui dit Horacio en désignant l'endroit où ils avaient mangé. On y va maintenant.

— Vous avez lavé les tasses ?

— Oui.

9

Le ciel était bleu et ils roulaient entre des champs d'arbres fruitiers. Devant les parcelles, il y avait parfois une cabane en brique. Horacio commença de siffler entre ses dents.

– Qu'est-ce que c'est ? l'interrogea Vito.

– Quoi ? Ce que je siffle ?

– Non, dit Vito. Les arbres.

– Des pêchers.

La route gravissait une colline, et les parcelles d'arbres fruitiers apparaissaient les unes après les autres en contrebas.

– Vous avez encore la photographie de la loutre ? demanda Vito.

Horacio se tourna rapidement vers lui.

– Oh non, dit-il. Je l'ai plus depuis longtemps.

– Vous l'avez perdue ?

– Oui, je suppose que je l'ai perdue.

– Ça m'aurait plu de la voir.

– Mais je l'ai plus.

Ils finirent de gravir la colline.

– J'en sais rien, en fait, dit Horacio. Je sais pas si je l'ai perdue.

Les champs de pêchers continuaient sur l'autre versant. Ceux-là étaient exposés au soleil. La neige fondait sous les arbres et la terre apparaissait.

– Elle était vraiment jolie, tu vois, dit Horacio.

– Je vous crois, dit Vito.

– Je me suis longtemps demandé pourquoi elle regardait dans ce tuyau.

– Elle était curieuse, dit Vito.

– Oui, c'est ce que je pense aujourd'hui. C'est sûrement pas plus compliqué.

La route s'élargissait en bas de la colline. Un chasse-neige était garé de travers à l'entrée d'un champ de pêchers. Il lui manquait une roue. Un homme se tenait debout à côté et regardait l'essieu nu. Il avait fabriqué un feu entre le chasse-neige et la première rangée d'arbres. La roue manquante était posée devant le foyer. La fumée était claire et bleue, elle était presque transparente. L'homme leva la tête vers le camion quand ils passèrent devant lui. Vito se tourna et l'observa aussi longtemps qu'il le put, et au dernier moment, juste avant de le perdre de vue, il le vit s'éloigner du chasse-neige et rejoindre tranquillement son feu.

— J'ai déjà vu un ragondin, dit soudain Vito avec enthousiasme.

— Oui moi aussi j'en ai déjà vu. D'accord c'est assez joli, mais c'est loin d'être aussi joli qu'une loutre.

— Mais ça m'a plu quand même quand j'ai vu ce ragondin, dit Vito.

— Eh, bien sûr, dit Horacio. Ça n'empêche pas.

— Il est sorti de l'eau et il est venu me manger dans la main.

— Ça c'est bien. Qu'est-ce qu'il a mangé dans ta main ?

— J'avais du pain.

— Tu as pas eu peur qu'il te morde ?

— Si. Mais il m'a pas mordu.

— Tant mieux, dit Horacio.

C'était le début de l'après-midi. Le soleil était

devant eux à présent. Il commençait de se voiler. Il perdait de son éclat et ne leur faisait pas mal aux yeux. Ils ne songeaient pas à baisser les pare-soleil.

Horacio consulta sa montre.

– Ça va ? demanda Vito.

– Oui. On roule bien. Mais je recommence à penser au col. Je crois qu'on devrait continuer de parler. J'y penserai moins.

– On parle de quoi ?

– De ce que tu veux.

Vito, songeusement :

– Je sais pas.

– Alors t'aurais bien pu rester à la maison et travailler si tu ne sais pas, dit Horacio en plaisantant. Parce que là en ce moment, tu vois, tu me sers à rien, je te paye pour rien du tout.

– Alors vous n'aurez qu'à pas me compter cette journée, dit Vito sur le même ton de plaisanterie.

– Oui, ça c'est une idée. Et c'est ce que je vais faire.

Vito gonfla les joues et donna des petits coups de tête dans l'air d'un air désabusé. Puis il dégonfla ses joues, arrêta de bouger la tête et demanda :

– Comment ils étaient ceux qui ont travaillé avant moi ?

– Ça tu le sais déjà, dit Horacio.

– Je m'en souviens pas très bien.

– Tu te fous de moi.

– Non.

– Un peu si, que tu te fous de moi, dit Horacio, le sourire aux lèvres.

Vito regarda le ciel sur sa droite. Puis il proposa :

– On reparle de la loutre ?

– Tu as pas envie de perdre cette journée, hein ?

– Non c'est pas la raison, dit Vito avec sérieux.

– Je sais bien.

– Alors ?

– Quoi donc ?

– La loutre.

– Alors on en a déjà fait le tour, dit Horacio.

– C'est dommage.

Horacio décolla ses mains du volant pour marquer qu'il trouvait lui aussi que c'était dommage mais que cependant c'était ainsi. Dès qu'il eut repris le volant il dit :

– Toi, parle-moi de ton ragondin.

– Moi aussi j'en ai fait le tour.

– Eh bien merde alors ! De quoi est-ce qu'on va se parler ?

Comme Horacio ne continuait pas, et qu'il se taisait maintenant depuis un moment, Vito se remit à observer le paysage. Mais sans y prêter beaucoup d'attention. Puis soudain son attention grandit. Il y avait quelque chose d'insolite. Il annonça tout à coup :

– Il n'y a plus les pêchers. On a dépassé les champs de pêchers.

– Il y a un moment déjà qu'on les a dépassés. On va bientôt s'arrêter prendre de l'essence.

Il ajouta :

– Après ce sera plat comme la main.

10

Il était une heure de l'après-midi quand ils firent le plein d'essence. Horacio et le patron entrèrent dans la station. Vito revint de la route où il avait marché tandis qu'on remplissait le réservoir.

Il se dirigea vers le camion. Il grimpa sur la plate-forme. Il se fraya un passage entre les moutons et s'assit sur le coffre soudé à la cabine.

Il ne bougea pas pendant presque une minute, adossé à la cabine, contemplant le dos des moutons. Après quoi il contempla la route, qui montait légèrement. Ensuite il se pencha en tournant la tête, et jeta un œil à l'avant du camion par la lunette. Il reconnaissait évidemment la cabine et tous ses détails, mais tout y avait un air différent vu d'ici. Il aurait bien aimé se voir assis dans la cabine pendant qu'ils roulaient. Voir un peu quelle allure il avait vu sous cet angle-là. Mais surtout savoir quelle impression il aurait bien pu donner à quelqu'un, si quelqu'un l'avait observé depuis qu'ils étaient partis cette nuit.

Il se redressa et fit le tour de la plate-forme en défaisant avec les pieds les tas de foin qui s'étaient formés contre les bords puis il l'étendit vers le centre en écartant les moutons au passage.

Ensuite il en attrapa un par le cou. Il se pencha et lui parla à l'oreille. Il le lâcha et le poussa de côté pour en saisir un autre, et lui dit aussi quelque chose à l'oreille.

Il frotta le bas de ses pantalons pour en faire tomber les brins de foin. Il enjamba la ridelle. Il sauta de la plate-forme et se dirigea vers la station. Juste au moment d'entrer il fit demi-tour, et revint vers le camion.

Il prit la moitié de jerrican dans la cabine et referma la portière. Il la posa sur sa tête. Il la lâcha et fit quelques pas. La moitié de jerrican tomba en avant et il réussit à la rattraper.

Il tenta encore une fois de la faire tenir en équilibre sur sa tête. Il mit davantage de soin cette fois pour l'ajuster bien en son centre, et il marcha lentement. Il parvint à faire quelques pas de plus que la première fois. Puis la moitié de jerrican tomba et rebondit sur le sol.

11

La station possédait une table installée devant la fenêtre, un comptoir, et un poêle posé sur une plaque métallique. Un homme était assis à la table. Il regardait par la fenêtre. Il portait un épais pardessus matelassé. Deux bandes orange y étaient cousues sur le dos et sur le haut des manches. À côté de lui sur la table, il y avait une grosse clé à croisillons.

Du givre s'était formé sur les bords de la vitre. La lumière entrait par le milieu.

Il y avait au-dessus de la fenêtre une tête de daim montée en trophée. Le daim louchait, et quiconque était entré une fois dans la station se demandait si le daim louchait de son vivant ou si c'étaient les yeux de verre qui avaient été mal cousus.

Et il y avait une bande de papier tue-mouches qui pendait sur un côté du mur. Il était couvert de très vieilles mouches mortes.

– Ça me déchire le cœur de le laisser là-bas, dit soudain l'homme au manteau matelassé en regardant toujours par la fenêtre.

– Alors le laissez pas, dit le patron de la station. Retournez-y !

– J'en ai plus envie, dit l'homme.

– J'en ai plus envie, l'imita le patron d'une voix plaintive.

Et puis reprenant sa voix :

– Arrêtez de me la chanter maintenant ! cracha-t-il.

– C'est pourtant vrai, dit l'homme d'un ton blessé.

Le patron branla la tête avec mépris. Il était debout derrière le comptoir et le tenait des deux mains.

– Si c'est vrai, dit l'homme au manteau matelassé.

Horacio souffla sur son café et but une gorgée, les yeux baissés sur le comptoir.

– Faites comme vous voulez, dit soudain le patron de la station avec fureur. Mais m'est avis qu'il doit commencer à trouver le temps long depuis ce matin, et se geler pas mal là-bas. Vous croyez pas ?

– Oui je sais, et c'est ça qui me déchire le cœur.

– Je crois que vous êtes à moitié cinglé.

– Non, dit l'homme.

Horacio dit en reposant sa tasse de café sur le comptoir :

– Vous êtes fatigué ?

– Mon Dieu oui je suis fatigué.

– Tu parles ! dit le patron.

Vito entra dans la station et vint au comptoir à côté d'Horacio. Il posa la moitié de jerrican à ses pieds.

Horacio, à voix basse :

– Qu'est-ce que tu faisais ?

– J'ai remis le foin comme il faut sur la plate-forme.

Horacio lui désigna sa tasse de café.

– Et j'ai pris aussi le jerrican, dit Vito.

Devant la fenêtre, l'homme regarda un instant autour de lui, puis il enfouit son visage dans ses mains et se mit à sangloter. Horacio demanda muettement au patron de la station d'essayer de ne rien dire. Puis à l'homme :

— Je vous ai dit qu'on l'avait vu et qu'il a fait un feu, là-bas.

Et s'adressant à Vito :

— Hein il a fait un feu le type qu'on a vu à côté du chasse-neige ?

— Oui, dit Vito.

— Alors vous voyez, dit Horacio. Vous en faites pas trop pour lui pour le moment, il a fait un feu. On vous raconte pas d'histoires. Dormez un peu et ensuite vous y retournez tranquillement.

L'homme s'essuya les yeux. Il posa ses mains sur la table et les croisa.

— J'ai une bouteille d'eau de Cologne dans le camion, dit Horacio. Je vous la laisse si vous voulez. Vous dormez un moment et ensuite vous vous massez le cou et la nuque avec. Vous vous sentirez bien.

L'autre demanda avec espoir :

— Je voudrais savoir, c'est un beau feu ? Assez pour le réchauffer, je veux dire.

— Oh oui, dit Horacio. Je pense bien.

L'homme se tourna vers eux. Ses yeux étaient encore pleins de larmes. Le patron détourna la tête et dit :

— Merde, en voilà assez.

Puis hargneusement :

— Prenez cette clé maintenant et allez réparer cette foutue roue. Et quand vous repasserez vous me poserez la clé dehors, à côté de la pompe.

— J'en ai plus envie.

— Bon Dieu si, vous allez dégager je crois. Et quand vous repasserez vous me poserez la clé dehors, à côté de la pompe. Inutile de rentrer pour me la rendre.

L'homme, implorant :

— On a déneigé votre route toute la nuit.

— C'est pas ma route, non. Et qu'est-ce que ça peut me foutre à la fin ! On vous paye, non, pour déneiger les routes ! De toute façon moi ce soir je ferme tout, vous serez dehors et l'autre aura crevé de froid.

Horacio dit au patron de la station :

— Non allez-y doucement !

— Non mais en voilà assez, il m'emmerde depuis ce matin !

Horacio, en penchant légèrement la tête de côté :

— Mais quand même allez-y doucement.

Puis à Vito :

— Va chercher la bouteille dans le camion !

Mais Vito ne bougea pas parce que l'homme dit soudain d'une voix changée, presque tranquille :

– Il y a mon copain qui est mort, vous savez.

– Qu'est-ce que vous nous chantez là ! coupa le patron de la station. Ils viennent de le voir et il a fait un feu, ils vous l'ont dit.

L'homme à la table branla la tête.

– Non pardon, je vous parle pas de celui-ci. S'agit d'un autre copain. Oh il est mort il y a long-temps, et c'est lui qui en a eu envie, vous compre-nez, c'est lui qui l'a fait, et cette nuit j'ai dormi cinq minutes dans la cabine, et j'ai rêvé à lui. J'avais que cinq minutes et c'est à lui que j'ai rêvé. Il avait une chemise ridicule à carreaux jaunes, je sais pas pourquoi. De toute sa vie il n'a porté de chemise aussi ridicule. Et moi je le serrais dans mes bras et je lui disais de me promettre de me prévenir dès qu'il sentirait que les choses n'allaient plus.

Il ne s'adressait à personne en particulier. Il regar-dait légèrement au-dessus du comptoir. Sa voix n'était plus implorante. Elle n'était pas persuasive non plus. Elle était tranquille maintenant. Oui voilà, elle était bien tranquille, et simplement posée dans l'air pour qui voulait l'entendre.

— Préviens-moi, je lui demandais, et j'étais vraiment sincère. Mais lui il me répondait rien du tout, vous savez. Tout ce qu'il faisait, c'était de me sourire. Comme s'il me disait : Parle toujours, je ferai bien comme je voudrai. On aurait presque dit qu'il se foutait de moi. Et ça me faisait de la peine.

Il se tut et ses yeux se posèrent sur Horacio. Puis il se mit à sourire stupidement, essayant d'imiter le sourire de son copain mort.

— Un peu comme ça, vous voyez ?

— Oui, dit Horacio.

L'homme ravala son sourire.

— Et dites voir à quoi ça me sert à présent de lui demander de me prévenir dès que les choses n'iront plus pour lui.

Horacio haussa les épaules imperceptiblement. Puis il dit :

— Je sais pas.

— Moi je sais, dit l'homme avec beaucoup d'amertume. Ça me sert plus à rien.

— Maintenant, non, dit Horacio. Mais peut-être que ça vous soulage quand même.

— Vous croyez ? demanda l'homme du chasse-neige en se passant la main sur la nuque.

Et on voyait qu'il appuyait très fort dessus, et nerveusement.

— Oui, je crois bien, dit Horacio.

— Oh, ce que c'est difficile tout ça ! dit l'homme avec une sorte de stupéfaction dans la voix.

— Vous en faites pas. C'est simplement que vous êtes fatigué.

L'homme de nouveau regarda par la fenêtre.

— Mon Dieu oui je suis fatigué.

— Je vais chercher la bouteille ? murmura Vito.

Horacio lui répondit d'un signe de tête. Vito se dirigea vers la porte et sortit.

La porte résonna dans le silence.

L'homme sortit une minuscule boîte en carton de la poche intérieure de son manteau et la posa délicatement devant lui, juste à côté de la clé à croisillons. Et cette fois encore il s'adressa à Horacio :

— C'est mon copain, dit-il.

— Quoi ? Qu'est-ce que c'est ? demanda Horacio.

L'homme reprit la boîte entre deux doigts et dit :

— C'est mon copain.

— Putain, c'est des cendres, dit le patron de la station d'un air ahuri. Je suis sûr que c'est des cendres.

Et il détourna les yeux.

Horacio hocha lentement la tête vers l'homme et dit :

– D'accord. Je vois. Vous l'avez toujours sur vous ?

– Non, pas toujours. Quand ça me dit je l'emmène, voilà tout. Mais je lui parle pas, non, je fais pas ce genre de choses. Je la prends simplement avec moi de temps en temps.

Il reposa la boîte en équilibre sur la clé à croisillons. Vito rentra à ce moment-là et se dirigea vers le comptoir. Horacio lui prit la bouteille d'eau de Cologne des mains et marcha jusqu'à la table. Il y posa la bouteille d'un geste volontairement lent, comme s'il posait quelque chose d'important.

– Alors faites comme ça, hein, dit-il. Vous dormez un moment et après vous vous en passez sur le cou et la nuque.

– Et vous ?

– Moi ça va, je l'ai fait ce matin.

– C'est vrai ?

– Oui. J'en ai plus besoin, je suis en forme.

– Alors merci.

– Vous en faites pas.

Il retourna vers le comptoir. Et comme il l'atteignait l'homme du chasse-neige, après avoir poussé la clé à croisillons, prit une longue respiration, étendit ses avant-bras sur la table et posa sa tête dessus.

— Alors essayez de pas faire de bruit pendant un moment, murmura Horacio au patron de la station.

— Si ça peut le faire dégager, je ferai pas de bruit du tout.

— Voilà, dit Horacio.

Et il finit sa tasse de café d'un trait.

Et tandis que Vito avalait lui aussi son café, le patron de la station dit à voix basse en se touchant le front du bout du doigt :

— Bon Dieu, des cendres !

Puis il prit les tasses vides et demanda :

— Vous en voulez un autre ?

— Tu en veux un autre ? demanda Horacio à Vito.

— Non, dit Vito.

— Moi non plus, dit Horacio.

— Vous allez où avec ces moutons ?

— On va les vendre.

— Ah !

— On peut vous prendre de l'eau pour les bêtes ? demanda Horacio.

– Bien sûr.

Vito prit la moitié de jerrican et la lui tendit. Le patron de la station la remplit derrière le comptoir.

Ils sortirent de la station.

Horacio observa le ciel.

– En fait non, dit-il. On n'a pas le temps de leur donner à boire. Et puis je crois pas qu'ils aient bien soif encore.

Vito tenait la moitié de jerrican à deux mains.

– Je jette l'eau ?

– Oui vas-y, balance-la devant la porte, elle va geler tout de suite, et l'autre con se cassera la gueule la prochaine fois qu'il ressortira servir de l'essence.

Vito s'apprêta à le faire, mais il s'arrêta net et dit :

– Et si le chauffeur du chasse-neige se réveille avant, c'est lui qui se cassera la gueule dessus.

– Oh bonté divine ! Oui tu as raison. Le pauvre gars, c'est pas le jour.

Et il se mit à rire.

– Va la balancer ailleurs !

Vito alla jeter l'eau contre un mur de la station, sur un tas de neige. Horacio fit le tour de la plate-forme en observant les moutons. Ils montèrent ensuite dans le camion. Vito rangea la moitié de jerrican sous son siège.

Horacio démarra et quitta la station au pas.

12

C'était plat comme la main ainsi qu'Horacio l'avait dit, et on ne voyait que de la neige jusqu'à l'horizon. Le ciel était bas. Le soleil perçait quand même, assez loin. Il était presque blanc au milieu d'un halo pâle. La route filait tout droit.

Les poteaux de téléphone défilaient à droite, du côté de Vito. Ils étaient distants d'une cinquantaine de mètres les uns des autres. Les fils étaient recouverts de givre et formaient des arcs.

La route était presque entièrement noire. Mais par endroits le vent y avait soufflé de la neige. Quand il abordait ces plaques de neige, Horacio serrait le volant et se concentrait. Ça avait dû se passer pendant la nuit, la formation de ces plaques. Parce que là, du vent, il n'y en avait pas apparemment. En tout cas pas assez pour soulever de la neige.

Horacio se pencha pour observer les lignes du téléphone et dit :

— Je préférerais qu'il y ait un peu de vent.

— Ah oui ?

— J'ai moins l'impression qu'il va neiger quand il y a du vent.

— Vous croyez qu'il va neiger ?

— J'en sais rien, mais j'aime pas quand il y a pas de vent du tout.

Vito se pencha et observa les fils du téléphone à son tour. Attentivement et en prenant tout son temps. Il était à l'affût. Il guettait le moindre mouvement des fils. Mais avant qu'il soit tout à fait sûr qu'ils ne bougeaient pas, même d'un infime balancement, déjà le camion les avait dépassés, et c'étaient de nouveaux fils entre deux poteaux qu'il avait sous les yeux. Et tout était à refaire, et toujours en si peu de temps. Il se remettait à l'affût du moindre souffle de vent, avec chaque fois un espoir tout neuf.

— Alors ?

— C'est difficile à voir, dit Vito en se redressant.

– Alors c'est qu'il n'y en a pas. Ou alors pas beaucoup.

– Il va neiger?

– Non c'est même pas dit.

La cabine se réchauffait. Vito ôta son manteau. Il le plia et le posa entre les deux sièges. Horacio se contenta de déboutonner le sien. Au bout d'un moment il commença de rire sous cape.

– Qu'est-ce qu'il y a? demanda Vito.

Horacio secoua la tête.

– Tu veux le savoir?

– Oui.

– D'un seul coup j'ai vu le type de tout à l'heure qui sortait de la station pour retourner au chasse-neige et se cassait une jambe, là, juste sur le seuil, sur l'eau du jerrican qui avait gelé. Oh merde! la gueule du patron! acheva-t-il en riant pour de bon maintenant.

Vito le considéra avec dépit et dit:

– Ça aurait été de ma faute.

– Non mais c'est pas du tout ça, tu m'as pas compris. Il s'agit pas de toi, peu importe sur quoi il tombe. C'est qu'il puisse pas rejoindre son chasse-neige qui est comique, tu vois?

Vito opina. Pas qu'il trouvât ça comique, non. Il opinait pour dire qu'il comprenait la situation à présent, qu'il comprenait que ce n'était pas lui qui était en cause.

Horacio l'observa rapidement.

– Mais non, je souhaite pas qu'il se casse la gueule, dit-il, sur la défensive. Sûrement pas. Au contraire, j'espère qu'il va dormir un bon coup.

Vito opina, mais pour l'approuver complètement cette fois. Et il dit :

– Faudrait pas que l'autre fasse du bruit.

– Il en fera pas, dit Horacio.

Il ajouta d'une voix délicate et un peu frémissante :

– Il fera le papillon. Il sera capable de le faire pour s'en débarrasser. Hein, tu t'imagines un papillon ?

– Oui je vois bien un papillon, dit Vito. Ça c'est bien.

Horacio le laissa un instant avec cette image. Et il dit sur un air stupéfait :

– Tu as raté quelque chose quand il a sorti la boîte de sa poche.

– Qui ? Quelle boîte ?

– Le gars du chasse-neige. Une petite boîte avec

les cendres de son copain. Je crois que tu l'as pas vu, ça.

À ce moment-là des coups assez violents résonnèrent dans leur dos, contre la carrosserie de la cabine.

— Qu'est-ce qu'ils fabriquent ? Regarde ! dit vivement Horacio.

Vito se retourna et posa ses deux mains en visière contre la lunette.

— Vaudrait mieux vous arrêter ! dit-il.

Horacio attendit d'avoir dépassé une plaque de neige et freina par à-coups. Ils descendirent du camion. Ils grimpèrent chacun de leur côté sur l'aile des roues arrière. Et, se tenant à la ridelle, ils observèrent les moutons en silence. Ils avaient l'air de s'être calmés à présent. Mais leurs regards exprimaient encore l'inquiétude.

— Ils ont froid ? demanda Vito.

— Je pense pas.

— Ils commencent à trouver que c'est long.

— Oui, je crois que c'est plutôt ça, dit Horacio lentement, en promenant son regard sur le dos des bêtes. Et ça me plaît pas du tout, acheva-t-il avec une expression soucieuse.

— Je vais monter un moment avec eux.

– On n'a pas le temps, non.

– Pendant que vous conduisez, je veux dire. Alors on en perdra pas, de temps.

– Qu'est-ce que tu racontes ? dit Horacio distraitement.

Il continuait d'observer les bêtes, de les jauger.

Et Vito :

– Je m'assois sur la plate-forme, contre le coffre, et je reste un moment avec eux. Ils ont l'habitude de moi. Je suis sûr que ça va les calmer de m'avoir.

Alors Horacio le dévisagea par-dessus le dos des moutons.

– Tu veux monter là pendant qu'on roule ?

– Oui.

Horacio regarda le ciel, puis à nouveau Vito.

– Et le froid, tu y as pensé ?

– Je serai protégé, contre le coffre et la cabine. J'y reste une heure, le temps de les rassurer.

Horacio regarda vers la cabine.

– Une demi-heure, trancha-t-il. C'est bon, va chercher ton manteau. Mais je crois pas que ça serve à quelque chose.

– Moi je crois que ça va les rassurer, dit Vito en sautant sur la route.

Il revint en enfilant son manteau et grimpa sur la plate-forme. Horacio n'avait pas bougé. Il était toujours debout sur l'aile de la roue.

– Ferme tes boutons !

Vito obéit et s'assit sur les planches de la plate-forme, le dos contre le coffre.

Horacio redit :

– Je crois pas que ça serve à quelque chose.

Et puis gentiment :

– Merde alors !

Il sauta de l'aile. Il ôta son manteau et le lança par-dessus la ridelle :

– Tiens, couvre-toi aussi avec ça ! Parce que là, du vent, tu vas en avoir.

Il retourna s'installer au volant.

Vito se couvrit les jambes et les épaules avec le manteau d'Horacio, et le serra sous le menton avec une main. Il sentait le tabac froid et l'eau de Cologne.

Quand le camion s'ébranla, les moutons tanguèrent un instant sur leurs pattes, et ainsi chaque fois qu'Horacio passa une vitesse, jusqu'à la dernière.

– Pourquoi vous vous couchez pas ? cria Vito

pour couvrir le bruit du moteur. Hein, qu'est-ce que vous attendez ?

Et puis moins fort :

– Vous en faites pas, je suis là.

Les moutons trouvèrent leur place. Les plus proches le frôlaient mais ne le touchaient jamais. Il n'avait pas froid sous les manteaux. La cabine derrière lui le protégeait assez bien du vent que provoquait le camion. Des brins de foin s'envolaient parfois. Ils étaient pris dans une sorte de tourbillon situé juste au-dessus des bêtes, et ils montaient et semblaient soudain aspirés par la route.

Ça cahotait et secouait davantage sur la plate-forme que dans la cabine. Mais c'était quand même assez confortable. Parce que la route était bonne, et qu'Horacio, Vito s'en rendait mieux compte ici que dans la cabine, roulait avec précaution. Parfois ça se mettait à tressauter d'un coup, et les bêtes tressautaient en même temps que la plate-forme. Mais ça n'avait pas l'air de les inquiéter.

Au bout d'un moment Vito cessa de s'intéresser aux moutons, de tenter de découvrir ce qui les rendait nerveux. Il regarda les poteaux de téléphone. Ils entraient dans son champ de vision brusquement à toute vitesse. Puis ils s'éloignaient, semblant perdre leur vitesse à mesure qu'ils s'éloignaient, et ils disparaissaient de sa vue au ralenti. Ils étaient noirs et surmontés d'un chapeau en caoutchouc.

Ce qui lui semblait assez surprenant, c'étaient les fils. On aurait dit qu'ils s'arquaient à l'instant où il les voyait. Comme si, juste avant qu'il les voie, ils avaient été tendus tout droit entre les poteaux et bien horizontaux, et qu'ils s'étaient arqués seulement et soudain là devant ses yeux.

À eux aussi, aux poteaux de téléphone et aux fils, il cessa au bout d'un moment de s'intéresser. Sans vraiment qu'il s'en aperçoive. Ils continuèrent de lui apparaître et de disparaître, mais très naturellement maintenant. Aussi naturellement que s'il avait entendu le murmure d'un ruisseau sans l'écouter. Il allongea un peu les jambes devant lui et laissa retomber le manteau d'Horacio sur ses genoux.

Alors il regarda le ciel dans l'axe de la route.

Il commença à avoir tout un tas de pensées à propos de choses et d'autres. Et il lui semblait que c'étaient des pensées plus subtiles tandis qu'il regardait ainsi le ciel s'éloigner, plutôt qu'à regarder le paysage depuis la cabine ou d'ailleurs. Il n'avait pas l'impression qu'elles étaient différentes ou nouvelles, non. Mais tout simplement plus subtiles et plus calmes. C'était très agréable.

Parfois, quand il quittait une pensée et juste avant d'en attraper une autre, il reprenait conscience des poteaux de téléphone qui s'en allaient et disparaissaient au ralenti. Il les voyait de nouveau. Mais ça ne durait pas longtemps.

Quand Horacio commença de freiner, il se rappela qu'il avait dit une demi-heure. Alors c'était sans doute ça. Oui, ça devait faire une demi-heure qu'il était assis là sur la plate-forme, et non pas au moins une heure comme il l'aurait juré. Il remonta ses jambes et ferma les yeux. Il entendit Horacio lui gueuler s'il n'était pas mort de froid. Il rouvrit les yeux. Puis il se leva et secoua le manteau d'Horacio.

13

Vito avait ouvert la portière et grimpait à sa place. Horacio le regardait avec curiosité. Il attendit qu'il referme la portière et lui demanda :

– Alors comment c'était ?

– C'était bien et j'ai pas eu froid.

Vito plia le manteau d'Horacio tandis que le camion repartait, et il le posa entre les sièges.

Horacio demanda :

– Alors, ça les a rassurés ?

– Bien sûr, dit Vito. Un peu oui, que ça leur a plu que je vienne. Ils ont pas bougé. Un peu au début quand vous avez démarré, mais après ils ont été bien calmes.

— Je crois surtout que tu avais envie de faire un tour sur la plate-forme, dit Horacio.

Sa voix exprimait la connivence. Comme Vito ne répondait pas, Horacio insista, mais doucement et sur le même ton de connivence :

— C'est pas ça, hein ?

Vito posa une main sur chaque genou. Il répondit après un instant :

— Pas seulement, non. C'était les deux.

Horacio se tourna vers lui et lui sourit.

Il faisait chaud dans la cabine. Il y avait une vingtaine de degrés de différence entre là et la plate-forme. Vito ouvrit son manteau. Au bout d'un moment finalement il l'ôta complètement en se contorsionnant. Il le plia et le posa sur celui d'Horacio.

— Il n'y avait pas tant de vent que ça, dit Vito.

— J'aurais cru, dit Horacio.

Loin devant eux le soleil était à deux mains de l'horizon. Il avait jauni, et son halo aussi avait jauni et commençait de se rétrécir. L'horizon, c'était maintenant une bande bleutée.

14

Ils gardaient le silence et de temps en temps Horacio observait le paysage de chaque côté de la route, ou alors il baissait la tête et tentait d'apercevoir le ciel au-dessus d'eux.

C'était toujours aussi plat et blanc, sauf qu'il y avait moins de lumière.

Quelquefois des corneilles s'élevaient au-dessus de la route et s'enfuyaient à droite ou à gauche. En général celles qui s'enfuyaient à droite se posaient sur les fils du téléphone.

— J'ai pensé à la loutre, dit soudain Vito.

— Non !

— Si j'y ai pensé.

Horacio baissa un peu sa vitre. Il tira son manteau vers lui et sortit ses cigarettes.

– Et alors ? demanda-t-il après en avoir allumé une.

– Oh rien, dit Vito. Non, rien de particulier. J'ai essayé de me rappeler où j'en avais vu. Et c'était sûrement aussi sur une photographie. Mais je m'en rappelle pas exactement.

Horacio tenait sa cigarette entre ses dents. Elle l'empêchait de parler correctement. Alors il montrait son attention par des petits coups de tête.

Vito poursuivait :

– Et puis un moment je me suis dis que peut-être j'en avais vu une vraie, vivante, et que c'est de ça que je me rappelle pas, alors j'imagine que je l'ai vue sur une photographie. Vous comprenez ?

Horacio réfléchit un instant. Puis il lâcha le volant d'une main et la fit pivoter plusieurs fois mollement devant Vito. Comme ci comme ça en fait il comprenait. Il remit la main sur le volant.

– Bon, dit Vito. Alors écoutez !

Là-dessus il se tut et décolla son dos du siège.

Il rassemblait ses idées.

– Peut-être qu'un jour, dit-il lentement, j'ai vraiment vu une loutre, mais que c'est si loin que je n'en suis plus sûr. Alors j'aurais tendance à penser aujourd'hui que je l'ai plutôt vue sur une photographie. Parce qu'il y a plus de chance d'en voir une en photographie qu'en vrai. Maintenant vous comprenez ?

Horacio donna un unique et lent coup de tête, avec emphase.

Vito continua :

– Oui mais en fin de compte je crois que si vraiment j'en avais vu une c'est trop joli pour que je m'en souvienne pas. Que je la confonde avec une photographie. Vous croyez pas ?

Horacio avait toujours sa cigarette entre ses dents. Il était si pressé de répondre à ça qu'il ne prit pas le temps de l'ôter pour parler. Presque d'un seul mouvement il inclina la tête vers Vito et la pencha en arrière en roulant des yeux. Mais sans doute que ça ne lui parut pas assez clair comme réponse, parce que tout de suite après il prit sa cigarette entre les doigts et dit :

– Je suis d'accord, aucun doute que tu t'en souviendrais.

– Oui, dit Vito.

Il avait l'air ravi.

Et dans la foulée :

– La vôtre, qu'est-ce qu'elle regardait dans le tuyau ?

– Je sais pas, on n'en voyait qu'un bout de ce tuyau, le bout qu'elle tenait entre les pattes. À mon avis elle regardait rien d'autre que le trou lui-même. Elle avait l'air vraiment étonnée.

Il jeta la cigarette dehors et remonta la vitre.

– Mais peut-être que je me trompe aussi, reprit-il. Rien ne me dit que les loutres ont pas toutes cet air étonné. Je veux dire qu'elles l'ont peut-être naturellement, que le tuyau n'a rien à voir là-dedans.

– C'est dommage, mais je me souviens pas assez de la mienne pour vous aider.

– Oui c'est dommage.

– Ça serait intéressant de se renseigner, dit Vito.

– Tu crois ?

– Bien sûr.

Ils croisèrent une route de dégagement sur leur droite. Elle n'était pas déneigée. La seule chose qui l'indiquait, c'étaient des piquets en bois qui dépassaient tout le long avec des graduations de hauteur de neige peintes en rouge.

Vito se tordit le cou pour tenter de comprendre quelque chose à ces graduations. Mais déjà les piquets s'éloignaient puis devinrent illisibles.

– Ou alors je sais pas, peut-être que c'était une loutre débile, dit Horacio.

– Quoi ? Qu'est-ce que vous dites ?

– Peut-être qu'elle était tout simplement débile.

– Vous le croyez ?

– Non, dit Horacio.

– Alors pourquoi vous le dites ?

– Je sais pas.

L'horizon qui était cette ligne bleutée tout à l'heure commençait de s'épaissir et devenait une chaîne de montagnes.

– Vous avez vu le daim dans la station ?

Horacio réfléchit et dit :

– Oui oui, il louchait c'est ça ?

– Oui il louchait, dit Vito.

– Tu vois les montagnes ? demanda Horacio.

– Oui ça fait un moment que je les vois.

– Alors voilà c'est là derrière qu'on va. Le col est par là.

Il balaya vaguement la montagne de la main.

– La route monte en biais dans les bois juste après le pont.

– Je la vois pas.

– On peut pas la voir encore.

15

Ils arrivèrent au bout de cette route en fin d'après-midi. La ville et le pont étaient légèrement sous le niveau de la route, en sorte qu'ils les virent presque au dernier moment. Ils virent d'abord le haut du pont, et la ville ensuite. Ils voyaient aussi le tracé de la rivière entre la montagne et la ville, et un lac de retenue en amont de la ville.

Il y avait des lumières d'allumées un peu partout. Il y avait une grande quantité de corneilles maintenant, qui volaient au ras de la route.

Horacio amorça la descente.

Vito avait décollé son dos du siège et regardait tout devant lui et autour de lui avec beaucoup d'attention.

Le ciel était blanc comme un grand sac de neige.

Le flanc de la montagne était couvert de mélèzes et de pins sylvestres. Et, bien qu'elle fût très près à présent, on ne voyait toujours pas la route du col qui s'amorçait là juste après le pont, et qui grimpait en biais entre les arbres.

Horacio tourna à gauche, puis encore à gauche afin de contourner la ville. Ils passèrent sur un pont qui enjambait le chemin de fer. Le tablier en acier était couvert de glace. Le camion sembla flotter un instant. Horacio lâcha le frein et l'accélérateur. Il tint seulement le volant, et le camion reprit assise sur l'acier glacé.

– C'est bien mieux de faire le tour par là, dit-il après qu'il eut franchi le pont. On gagnera du temps.

– Je vais acheter quelque chose, annonça-t-il ensuite avec bonne humeur. Il y a une épicerie de l'autre côté des voies.

Puis il demanda :

– Tu n'as pas faim, toi ?

– Je sais pas.

– Vas-y, réfléchis !

Un moment après Horacio arrêta le camion derrière la gare, le long des voies de triage. Il y avait des wagons de marchandises organisés en convois. Ils étaient entoilés avec de grosses lettres peintes sur le côté. Il y avait une locomotive attelée à l'un des convois.

Horacio enfila son manteau et demanda :

— Alors ?

— Je crois que oui.

— Il y a quelque chose dont tu as envie ?

— Non, j'ai juste un peu faim maintenant.

— Bon, je verrai ce que je trouve, dit Horacio.

Il ouvrit la portière. Il descendit et passa devant le camion. Il enjamba une clôture en béton et commença de traverser les voies.

Vito ne le quitta pas des yeux tandis qu'il s'éloignait. Jusqu'au moment où il passa entre deux wagons en sautant par-dessus leurs tampons avec l'habileté d'un serre-frein et disparut à sa vue.

Vito s'agenouilla sur son siège et observa les moutons par la lunette arrière. Il essaya de voir chacun d'eux, mais c'était difficile. Les moutons ne bougeaient pas, et les plus proches lui masquaient les autres. Et puis c'était presque le crépuscule, en sorte que, même les plus proches, il les voyait assez mal.

Il ouvrit la portière et posa un pied dehors. Mais il se ravisa aussitôt car le froid tombait avec le soir. Il referma la portière et demeura un moment sans bouger. Il fixait l'espace entre les deux wagons, là où Horacio avait sauté par-dessus les tampons.

Puis tout soudain il grimpa à genoux sur le siège d'Horacio et sortit le fusil de derrière le siège. Il le garda un instant dans les mains, puis il leva la tête vers les moutons sur la plate-forme et d'un mouvement sec il verrouilla les canons.

Il posa le fusil sur le tableau de bord et commença par chercher comment s'asseoir. Plus précisément par chercher l'endroit d'où il aurait le plus d'espace dehors sous les yeux sans avoir à se tordre le cou. Là où il aurait le meilleur angle de vue. Il s'installa finalement sur le siège d'Horacio, le dos contre la portière et les jambes allongées sur son siège à lui. Ainsi il embrassait du regard toutes les voies de triage.

Ensuite il prit le fusil, et là cette fois il chercha la meilleure manière de l'avoir avec lui. Il le dressa d'abord tout droit, la crosse sur le plancher du camion et la main gauche tenant les canons. Ça ne lui plaisait pas. Il le posa contre lui, le maintenant d'une main sur la culasse. C'était bien mieux.

Alors enfin il fit ce qu'il envisageait de faire depuis qu'Horacio avait quitté le camion. Il surveilla les abords.

Au bout d'un moment il souleva le fusil et le posa entre ses jambes, une main sur la culasse et l'autre sur la crosse. Là c'était vraiment très bien.

Il reprit sa surveillance.

Bientôt il se mit à neiger. Mais heureusement pas beaucoup. La vue portait toujours aussi loin.

16

Il continuait de neiger. C'étaient encore des flocons épars. Ils fondaient sitôt après avoir touché le sol.

Horacio et sa silhouette haute et massive apparurent entre les deux wagons. Il sauta par-dessus les tampons. Il portait une bouteille dans une main. Vito se redressa, déverrouilla rapidement les canons et rangea le fusil derrière le siège d'Horacio. Puis il se glissa sur son siège à lui.

Horacio enjamba la clôture et fit le tour du camion par l'arrière. Il grimpa sur le marchepied en jetant un regard derrière lui. Puis il se secoua pour faire tomber la neige de ses épaules. Il ouvrit la portière et s'installa à sa place.

– Et j'ai eu peur toute la journée qu'il se mette à neiger, dit-il.

Là-dessus il resta un instant immobile en contemplant la neige qui tombait.

Ensuite il se tourna vers Vito et annonça en coinçant la bouteille de vin entre ses jambes :

– J'ai pris ça et du fromage.

Il sortit le fromage de sa poche. Il le posa devant eux sur le tableau de bord et dit :

– Il reste du pain, non ?

Vito sortit le pain du sac.

– Tu as faim ?

– Oui.

– C'est bien, on aura besoin de forces.

– C'est vous surtout qui en aurez besoin.

– Toi aussi. Tu m'aideras à chaîner.

Il ôta son manteau. Vito demanda :

– On chaînera en bas ?

– Non, la route va être presque noire au début, on risquerait de casser les chaînes. Elles sont aussi vieilles que le camion. Alors on chaînera dès qu'il y aura un matelas de neige et qu'on commencera à patiner.

Vito écoutait très sérieusement.

– Tu essayeras de bien m'éclairer.

Vito hocha la tête lentement afin de le rassurer sur son habileté à tenir la lampe.

– Et tu m'allumeras aussi des cigarettes quand je te le demanderai, quand on sera repartis et que je conduirai sur la neige. Ça ne t'ennuiera pas de faire ça ?

– Non.

Vito demanda ardemment :

– Il y a autre chose que je devrai faire ?

Horacio débouchait la bouteille.

– J'en sais rien. Je pense pas, non.

Puis tout de suite après :

– Si, il y a autre chose.

– Allez-y ! Quoi ?

Horacio regarda dehors.

– Bon Dieu quoi ? dit-il allusivement et comme à lui-même.

Mais il s'arrêta là. Il attendit un peu et puis :

– Alors écoute, ce que tu devras faire ce sera de continuer d'être bien là, au chaud dans la cabine avec moi.

– Ah !

– Oui, exactement ce que tu fais depuis ce matin.

— Bon, dit Vito.

Il hocha la tête et considéra Horacio un instant. Puis il appuya le dos de la main contre le pare-brise et tenta de faire fondre les flocons qui se posaient dehors sur la vitre.

Ensuite ils mangèrent.

Horacio but une gorgée à la bouteille. Il dit, penchant la tête pour regarder le ciel :

— C'est pas ce qu'on avait dit, mais on s'arrêtera dormir ici ce soir. Sera trop tard pour rentrer. Le vieux type de l'épicerie loue des chambres aussi, au-dessus de son magasin.

— Vous êtes fatigué ?

— Oui un peu, et je suppose que je le serai pas mal quand on repassera ici cette nuit. J'ai l'impression qu'il va pas s'arrêter de neiger. Et c'est ça qui fatigue le plus.

Il tendit la bouteille à Vito qui fit non de la tête. Horacio en reprit une gorgée.

— J'ai eu peur toute la journée qu'il se mette à neiger, redit-il. Qu'est-ce que tu en dis, hein ?

Il tendit la main vers le pare-brise. Les flocons l'avaient déjà recouvert. Ils masquaient en partie la lumière. Et ainsi la cabine semblait rapetissée. Tous les gestes qu'ils faisaient pour manger semblaient plus précis.

– C'est bon, dit Horacio. On va mettre les chaînes et tout ira bien.

Il parvenait mal à dissimuler son besoin de parler. De commencer à dérouler pour lui le moment du chaînage, et ce qui s'ensuivrait. Son visage avait pris une expression très attentive, et par moments sa voix était fragile.

– Je les ai déjà mises deux fois. C'est une assez grande saloperie à enfiler ça sur les roues la première fois. Mais ça ne devrait pas poser de problèmes, je me souviens assez bien comment il faut s'y prendre. Après, j'y vais tout tranquillement, je me contente de rester au milieu de la route, et je tiens bien la seconde. Non ça c'est rien, pourvu que je mette les chaînes convenablement.

– Je vous éclairerai avec la lampe.

– Oui, c'est ce que tu auras à faire. Où est-ce que tu l'as mise ?

– Elle est dans le sac.

– Regarde !

Vito sortit la lampe électrique du sac. Il l'alluma,

puis il l'éteignit et la posa bien en vue sur le tableau de bord.

– Faudra envisager d'acheter une paire de chaînes modernes, un de ces jours, dit Horacio avec infiniment de conviction. Celles qu'on a feront l'affaire, j'ai confiance. Mais les modernes sont bien épatantes maintenant. Tu les poses en un rien de temps et tu n'as pas besoin de manœuvrer, d'avancer, de reculer pour positionner les roues, tu vois ? Tu as presque pas besoin qu'on t'éclaire non plus. Elles sont rudement bien faites.

Vito l'écoutait avec un genre de conviction aussi. Il ne bougeait pas, ni ne trouvait utile d'acquiescer.

– En attendant, on a celles-là, dit Horacio calmement. Et je suis content que tu sois là pour me tenir la lampe.

Dehors la lumière baissait et la neige obstruait de plus en plus le pare-brise. Il commença de faire sombre dans la cabine. Horacio alluma le plafonnier.

– Tu as fini de manger ?

Vito hocha affirmativement la tête.

Horacio reboucha la bouteille et la rangea dans le sac. Il mit le contact, et tandis que le moteur ronflait et chauffait, il sortit son paquet de cigarettes.

— Je vais vous l'allumer, dit Vito.

— Non, là ça va encore, dit Horacio en souriant. J'y arrive encore.

— Je sais, mais je voudrais m'entraîner.

— Oui c'est pas bête.

Il lui tendit les cigarettes et les allumettes. Il regarda droit devant lui tandis que les essuie-glaces balayaient la neige. Il évitait de regarder Vito. Il respectait sa gêne, et probablement aussi sa maladresse à faire cette chose-là pour la première fois.

Vito lui tendit la cigarette allumée.

— C'est très bien, merci, dit Horacio.

— Je les garde avec moi, dit Vito. Je les aurai sous la main.

Horacio coinça la cigarette entre ses lèvres.

— On va tâcher d'attraper le pont maintenant.

Il embraya et démarra. Ils longèrent les voies de triage.

17

Horacio alluma les phares. Il faisait nuit et la neige tombait dru maintenant. Ils roulèrent devant les dépôts du chemin de fer, puis entre des bâtiments en construction.

– Tu regarderas bien le pont quand on y passera.

– Pourquoi ?

– Regarde-le bien.

Horacio conduisait sans perdre de vue la montagne. Il tournait à l'angle des rues en choisissant toujours la direction de la montagne. Il cherchait à rejoindre la rivière.

– Et les moutons, dit soudain Vito à voix basse et prudemment.

– Oui, quoi les moutons ?

– La neige.

– Ils vont être couverts de neige, c'est ça ? dit Horacio.

– Oui, dit Vito.

– Écoute, ça ne va pas les gêner. Pas plus que nous sur nos manteaux. On pensera seulement à leur frotter le dos avant d'arriver. Ils auront meilleure allure.

– J'irai le faire, dit Vito.

Bien qu'il fît nuit maintenant, et qu'il neigeât beaucoup, la montagne était toujours bien visible. Ils n'avaient aucun mal à se diriger vers elle.

Vito regarda furtivement Horacio. Puis regarda entre ses genoux. Il releva la tête et dit :

– Écoutez !

– Oui.

– Quand vous êtes parti tout à l'heure, j'ai surveillé les moutons.

– Eh bien oui, je comptais bien que tu le fasses. C'est aussi pour ça que je te paye.

– Mais je les ai surveillés avec le fusil.

Horacio se tourna vers lui. Il le dévisagea avec reproche.

– Quoi ? Qu'est-ce que tu racontes ?

Puis aussitôt se retournant vers la route :

— Tu as fait ça avec le fusil ?

Vito se crispa.

— Oui, dit-il.

— Oh bon sang ! Tu es monté sur la plate-forme avec le fusil ?

— Non je suis resté dans la cabine, dit Vito très vite.

Horacio dit calmement :

— Alors ça va.

Il aspira l'air plusieurs fois à fond. Il demanda sur un ton détendu :

— Et ça t'a plu de faire ça ?

— Oui.

Mais tout de suite après Horacio demanda :

— Tu avais pas mis de cartouches, au moins ?

— Non, dit Vito. Je l'ai juste tenu dans les mains.

— Et ça t'a plu, tu dis ?

— Oui, beaucoup.

— Ça t'a fait quelle impression ?

— C'était agréable, répondit Vito.

Ensuite il prit son temps pour réfléchir :

— J'avais l'impression de bien faire mon travail, enfin quelque chose comme ça.

Horacio bougea légèrement la tête en souriant.

— Vous comprenez ?

— Oui, dit Horacio.

— Mais c'est un peu ridicule, non ?

— Non.

— Moi je trouve, dit Vito.

Au bout d'un instant, Horacio pencha la tête de côté et dit avec précaution :

— D'accord, c'est un peu ridicule, mais on s'en fout du moment qu'on le sait.

— C'est comme ça aussi dans mon idée, dit Vito.

Et aussitôt :

— Vous avez déjà fait ce genre de choses ?

— Pas récemment non.

— Et avant ?

— Oh, avant ! ébaucha Horacio.

Il ralentit et scruta l'angle d'une rue qui était dans l'obscurité, puis il tourna à droite.

— Un peu oui, que je l'ai fait. J'ai fais un tas de choses comme ça.

18

Ils atteignirent la rivière. Ils remontèrent la berge jusqu'au pont suspendu. À dessein Horacio l'amorça au ralenti.

Vito s'était dressé sur son siège et observait le pont. Toutes les parties métalliques étaient peintes en bleu. Les câbles qui le suspendaient étaient noirs comme l'acier. Et les pièces qui tenaient les câbles, là où ils se rejoignaient, ces pièces-là étaient peintes en jaune.

– Oui, joli pont, dit Vito.

Ils le franchirent.

Ils tournèrent à gauche. Et alors la route commença de grimper de biais, avec les grands mélèzes et les pins sylvestres sur un côté, et la rivière de l'autre en contrebas, et qui s'allongeait et s'étirait au pied de la montagne à mesure qu'ils s'élevaient.

Vito s'était redressé et regardait la rivière par la vitre d'Horacio.

Horacio s'essuya le plat des deux mains en même temps sur ses pantalons et il reprit le volant. Il fixa son regard assez loin à la limite des faisceaux des phares, là où les flocons n'éblouissaient pas dans la lumière.

Il n'y avait pas plus d'un centimètre de neige sur la route pour le moment. Les pneus du camion accrochaient.

Juste avant de perdre la rivière de vue, quand la neige et l'obscurité la masquèrent complètement, Vito la voyait descendre sur au moins une dizaine de kilomètres. Il se tint droit sur son siège un instant, puis se pencha en avant vers le pare-brise pour regarder la neige dans la lumière des phares.

– Alors tu penses que ce serait intéressant de se renseigner ? dit Horacio d'une voix calme et le regard toujours rivé à la limite des faisceaux.

– Quoi ? demanda Vito.

Et pratiquement dans la foulée :

– Oh oui, je pense que ce serait intéressant.

— Je sais pas comment on pourrait s'y prendre, dit Horacio.

— Moi non plus, dit Vito.

— Faudrait qu'on réfléchisse.

— Oui, dit Vito.

— Mais sérieusement alors.

— Bien sûr sérieusement, dit Vito. Et si vous cherchiez déjà votre photographie ? demanda-t-il.

— Oui on pourrait commencer comme ça. Sauf que je suis sûr de pas la retrouver.

— Alors on peut pas commencer comme ça, dit Vito.

— Non, dit Horacio.

— On devrait essayer de trouver où elles vivent.

— Oui pourquoi pas ?

— Peut-être potasser dans des livres ?

— Oui, aussi. Mais écoute !

Il s'interrompit. Il reprit presque aussitôt :

— Écoute, je pense pas qu'on ait le temps là de bien y réfléchir. Je dois m'occuper de la route. Ça va bientôt se compliquer. Je vais sûrement plus beaucoup parler. Je voulais juste savoir si tu trouvais toujours que ce serait intéressant de se renseigner à quoi elles ressemblent au juste.

– Oui, toujours.

– Très bien, je suis assez content. Alors on essayera de le faire, dit Horacio.

Il ajouta d'une voix sûre :

– On s'en occupera dès qu'on sera rentrés.

– On pourra commencer à chercher des idées pendant qu'on rentrera.

– Oui, pourquoi pas ? dit Horacio.

Il décolla son dos du siège et s'approcha très près du volant. Il avait l'air de quelqu'un qui conduit depuis peu de temps.

– Peut-être qu'on y arrivera comme ça sans mettre les chaînes, dit Vito.

Horacio ne répondit rien. Il jeta un œil sur le côté de la route.

– Hein, peut-être qu'on chaînera pas ?

– Non, faut pas y compter, dit Horacio. Regarde voir les moutons ! demanda-t-il ensuite.

Vito se retourna.

– J'arrive pas à les voir, dit-il.

Il tendit le bras derrière lui et saisit la lampe. Il l'alluma et l'approcha de la vitre. La lumière l'éblouissait.

– J'y vois rien non plus, dit-il.

– Parce que c'est la vitre que tu éclaires en ce moment. Éloigne la lampe !

Vito recula la lampe. Il y voyait un peu mieux.

– Alors ? demanda Horacio.

– Ils sont tout blancs.

– Merde, Vito, je m'en doute.

– Ils sont calmes, dit Vito.

– C'est bon, éteins la lampe maintenant !

Vito l'éteignit et la posa sur ses genoux.

– Tu entends, dit ensuite Horacio. Je vais plus trop parler maintenant.

Sa voix était en dedans.

– Oh je comprends, dit Vito. Mais vous en faites pas.

En dehors du passage des essuie-glaces, la neige obstruait le reste du pare-brise. Par moments elle glissait en plaques, et les essuie-glaces l'emportaient.

Vito demanda doucement :

– C'est une tempête de neige ?

Horacio tendit le visage en avant.

– J'en sais rien ce que c'est, dit-il au bout d'un instant.

Puis avec surprise :

– Mais alors bonté divine, ce que ça tombe !

Vito dit :

– Non, je crois qu'il faut aussi du vent pour que ce soit une tempête de neige.

Horacio ne répondit rien.

19

Ils abordèrent le premier coude sur la droite. Il était serré, et la route repartait pratiquement dans l'autre sens. Elle avait toujours autant de pente. Le vide se trouvait du côté de Vito à présent. Il apercevait encore vaguement des lumières en bas dans la vallée. Et, vers l'amont, il apercevait la grande tache sombre du lac de retenue.

Soudain il ne vit plus rien dans la vallée parce que les arbres se dressèrent de son côté aussi. Ils se retrouvèrent entre deux rangées d'arbres noirs. Toujours des mélèzes et des pins sylvestres. Ils étaient encore recouverts de neige durcie et du givre des jours précédents. Leurs branches ployaient au-dessus de la route et formaient une voûte.

Horacio dit :

– Vas-y, allume-moi une cigarette !

Sa voix était neutre. Celle des jours de travail.

Vito l'alluma et la tendit à Horacio. Mais, comme ils abordaient de nouveau un coude, Horacio ne la saisit pas. Il manœuvra. Il tourna le volant en appuyant instinctivement dessus comme s'il pouvait aider à mieux faire tenir les roues sur la neige.

Il repassa une vitesse après le virage. Il attendit d'avoir retrouvé son élan, et alors seulement il tendit la main pour saisir la cigarette. Vito la lui glissa entre deux doigts. Horacio la porta à ses lèvres sans quitter la route des yeux. Vito rangea soigneusement le paquet de cigarettes et les allumettes sur le tableau de bord.

De nouveau Horacio s'essuya le plat des mains sur ses pantalons. Mais sans oser lâcher complètement le volant cette fois. Une main après l'autre.

20

Ils quittèrent ce flanc-là de la montagne. Ils passèrent de l'autre côté. Alors se dressèrent de toutes parts des montagnes.

La route cessa brusquement de monter.

– Redonne-moi une cigarette ! dit Horacio.

Vito l'alluma et la lui tendit. Horacio la porta à ses lèvres. Vito remit les cigarettes et les allumettes à leur place.

Puis la route commença de descendre.

Vito essayait de comprendre le relief à travers le rideau de neige. C'était difficile de le comprendre à cause justement de la neige qui masquait tout.

Comme la route continuait de descendre, il demanda :

– C'est le col ?

– Où ça ? Qu'est-ce que tu racontes ?

Vito désigna la route devant eux.

– Ici, c'est le col ? On descend, non ? ajouta-t-il pour s'expliquer.

– On descend mais c'est pas le col, dit Horacio.

– Ça va remonter ?

Horacio lui répondit d'un signe de tête affirmatif.

– Oh pardon ! dit Vito.

Il se tortilla un instant sur son siège. Il exécuta plusieurs mimiques embarrassées et presque invisibles dans l'obscurité de la cabine.

– Je veux dire d'avoir parlé, pardon. C'est parce que je croyais qu'on était au col. Et qu'au col je suppose qu'on sera rudement soulagés et qu'on pourra reparler, non ?

Horacio gardait le silence.

– Mais c'est vrai, c'est vous surtout qui serez soulagé, reprit Vito au bout d'un instant. Mais moi aussi je le serai. Moins que vous mais je le serai. Mais vu que c'est pas le col je vais me taire maintenant. Je vais peut-être essayer de réfléchir à propos de la loutre. Je veux dire, comment on pourrait se renseigner. Mais c'est bon je me tais maintenant.

La route cessa de descendre. Ils passèrent sur un pont très court. Il enjambait un torrent. Vito tenta d'apercevoir l'eau tomber entre les rochers. Mais il faisait trop sombre, et la neige à présent formait un voile gris quand on la regardait en dehors de la lumière des phares. Horacio baissa rapidement la vitre et jeta sa cigarette dehors, juste avant que la route amorce une nouvelle pente.

– Oui tais-toi ! dit-il après avoir remonté la vitre.

Ce n'était pas sur le ton de l'ordre ni du reproche. Mais sur un ton cordial. Vito opina.

Il y avait de plus en plus de neige sur la route. Par moments, et l'espace de quelques secondes, les roues du camion patinaient puis elles creusaient la neige et retrouvaient le goudron.

21

Horacio tira le frein à main. Il coupa le moteur.
Mais il laissa les phares allumés. Le camion était
légèrement en travers de la route.

— On va chaîner?

— Oui c'est maintenant.

Vito saisit la lampe et dit:

— Je vais chercher les chaînes.

— Non, attends, dit doucement Horacio.

Il ralluma le moteur et tourna le volant pour
redresser les roues. Il descendit le frein à main et
débraya. Le camion recula et se retrouva droit dans
l'axe de la route. Il éteignit le moteur et serra le
frein. Cette fois encore il laissa les phares allumés.
Il reposa ses mains sur le volant.

– C'est bon, grimpe chercher les chaînes à présent ! dit Horacio.

Vito enfila son manteau. Puis ses gants.

– Je reste un peu et je viens, dit Horacio.

– Oui, prenez votre temps !

Vito prit la lampe électrique et commença d'ouvrir la portière.

– Fais attention à toi sur la neige !

– Oui.

– Commence aussi à démêler les chaînes ! Et je viens.

Vito avait déjà un pied dehors.

– Oui, je m'occupe de tout ça, dit-il. Et vraiment prenez votre temps !

– Merci, dit Horacio.

Vito referma la portière. Il garda la main sur la poignée par sécurité, le temps de voir comment il se tenait sur la neige. Il y en avait une dizaine de centimètres, et il en tombait toujours. Elle était assez lourde. Ce n'était pas une neige très glissante. Il lâcha la poignée de la portière et se dirigea vers la plate-forme, une main cependant agrippée au rebord de la ridelle. Arrivé à l'aile arrière, il alluma la lampe et éclaira les arbres, puis il dirigea le faisceau vers le bas de la route. Mais ça ne portait pas loin parce que les flocons faisaient un écran. Il éteignit la lampe et la rangea dans sa poche.

Quand il grimpa sur la plate-forme, les moutons s'affolèrent et se serrèrent vers l'avant.

– Quoi ? dit Vito d'une voix qui mimait la déception.

Il s'avança et attrapa un mouton par le cou. Il le maintint contre sa jambe et entreprit de faire tomber la neige qu'il avait sur le dos. Il l'emmena ensuite vers l'arrière. Il en saisit un autre. Il balaya la neige sur lui aussi et le poussa rejoindre l'autre à l'arrière.

Au moment d'attraper le suivant, il se ravisa. Il sortit la lampe de sa poche, l'alluma et se fraya un passage entre les moutons. Il arriva devant le coffre. Il souleva le capot. Les chaînes étaient au fond dans un coin. Il les saisit. Il referma le capot et posa les chaînes dessus. Elles étaient lourdes et ressemblaient à deux tas de ferraille informes.

Il coinça la lampe entre le coffre et la cabine et commença de démêler une des deux chaînes.

Mais il y avait un tas d'anneaux ouverts qui s'accrochaient les uns aux autres ou à d'autres anneaux fermés, et ça s'avérait une vraie complication. C'était très difficile à comprendre comment tout ça pouvait s'organiser et par quel bout commencer.

Horacio descendit du camion. Vito laissa la chaîne retomber sur le capot et voulut lui dire quelque chose. Mais Horacio s'était mis à lentement marcher vers le haut de la route.

22

Horacio remonta la route sur une trentaine de mètres. Il s'arrêta pour considérer les arbres et la route, puis il creusa la neige du bout de sa chaussure jusqu'à l'asphalte. De nouveau il regarda autour de lui. C'était d'un blanc laiteux dans le faisceau des phares, et gris-blanc au-delà.

La route avait beaucoup de pente ici. Alors sans doute que le col n'était plus très loin. Et tout était parfaitement silencieux. Aucun bruit ne lui parvenait du camion, ni des moutons ni de Vito sur la plate-forme.

Et soudain pourtant il lui sembla que non, ça ne l'était pas si parfaitement, silencieux. Il ne bougea plus du tout et demeura aux aguets, la respiration bloquée.

Il reprit sa respiration.

Alors bien sûr c'était ça. Tout d'un coup il en fut certain. Cette immense quantité de flocons autour de lui faisait du bruit en touchant le sol. Un bruit imperceptible, une sorte de bruissement.

Ça paraissait bien ridicule de penser qu'on puisse capter le bruit d'un flocon qui touche le sol. Oui, mais autant de flocons d'un coup ce n'était plus ridicule.

Derrière lui soudain, et juste au moment où il se disait qu'il n'y avait aucune odeur autour de lui parce que la neige et le froid les masquaient toutes, à cet instant un paquet de neige tomba d'un mélèze sur la route, et la branche en se redressant fouetta l'air et fit tomber la neige des branches supérieures. Cette fois le bruit était franc et mat.

Il redescendit vers le camion.

Il s'arrêta à mi-chemin et se retourna vers le haut de la route. Puis de nouveau vers la masse sombre du camion, presque noyé dans l'obscurité derrière l'éclat des phares. Il se mit à frissonner des épaules et des bras.

Il joignit ses mains et serra la jointure de ses doigts. Puis il passa ses mains derrière la nuque et tira sur ses bras.

– C'est rien, dit-il à voix basse.

Il laissa lentement retomber ses bras le long du corps.

– Tu vas prendre tout ton temps, dit-il d'une voix encore plus basse.

Il pensa : Qu'est-ce que ça peut foutre si tu y passes une heure. Prends tout ton temps pourvu que tu chaînes convenablement. Voilà. Et à présent tu vas redescendre et aider le gosse. Et lui dire que tu es content de lui dès que tu en auras l'occasion. Mais il se souvint qu'il le lui avait déjà dit ou au moins y avait fait allusion. Il pensa : Et alors qu'est-ce que ça peut foutre ça aussi, hein ?

Et aussi cette histoire de flocons qui faisaient du bruit, c'est sûr qu'il allait lui en parler, mais ça il le ferait seulement quand ils seraient arrivés. Il attendrait qu'ils soient arrivés quelque part au calme.

Un jour ou l'autre il faudrait aussi qu'il se rappelle exactement de cette nuit-là. Mais ça uniquement pour lui-même. Qu'il se la déroule bien en détail cette nuit. Elle valait la peine de s'en rappeler. Pourquoi ? Mon Dieu il le sentait pourquoi. Mais encore vaguement. En tout cas il y avait quelque chose à en faire. Il saurait sûrement quoi le jour où il déciderait de s'en rappeler.

Il s'ébroua pour faire tomber la neige de ses épaules et redescendit vers le camion, mesurant ses pas et respirant avec calme.

Il arriva près du camion. Pendant quelques secondes il observa avec bienveillance Vito penché au-dessus du coffre et absorbé à démêler l'une des chaînes.

— Eh bien, tu y arrives ? demanda-t-il.

— Non, j'y arrive pas du tout.

Vito avait un air navré.

— J'y comprends rien, ajouta-t-il en considérant Horacio.

— C'est rien, Vito. Envoie-les-moi et redescends ! lui dit Horacio d'une voix compréhensive. On va s'en occuper au chaud dans le camion.

Comme Vito ne savait pas où les lancer, Horacio lui dit :

— Là, vas-y, devant moi !

Vito lança les chaînes l'une après l'autre sur la route. Elles s'enfouirent à moitié dans la neige.

Horacio les ramassa, les secoua et il monta dans le camion. Il posa les chaînes sur ses genoux, puis il éteignit les phares et alluma le plafonnier.

– Éclaire-moi toi aussi ! dit-il quand Vito le rejoignit.

Vito pointa les genoux d'Horacio avec la lampe électrique.

– Ça va aller, je crois que je m'y retrouve, dit Horacio qui commençait de séparer les anneaux ouverts des anneaux fermés.

Puis il dit :

– Mais bon sang on aurait dû les démêler hier, et ensuite s'entraîner à les enfiler au moins une fois sur les roues. J'y ai pas pensé.

– Moi non plus, dit Vito.

– Non, ça c'était à moi d'y penser. Mais ce qu'on n'a pas oublié, c'est nos gants. Et chaîner sans les gants, personne peut y arriver avec ce froid. Même si on est entraîné.

Là-dessus il se tut et termina de démêler la chaîne. Il la posa ensuite à plat sur le tableau de bord. Puis recommença avec l'autre.

– Comment ils vont ? demanda-t-il en levant les yeux sur Vito.

Vito changea la lampe de main.

– Je leur ai fait peur quand j'ai grimpé, dit-il.

– Oui, ils sont fatigués.

– Ils ont pas froid aussi ?

– Non, je suis sûr que non. Je crois plutôt qu'ils en peuvent plus de se tenir en équilibre là-bas derrière. J'ai conduit de mon mieux, mais ça les a quand même beaucoup crevés.

Horacio ajouta, baissant la voix :

– Je les plains.

Vito dit avec espoir :

– Oui mais on est bientôt arrivés.

– Oui, maintenant oui, dit Horacio. On est tout près du col.

– Et après ?

– On descend dans la vallée et on est arrivés.

Il acheva de démêler la seconde chaîne. Il la laissa sur ses genoux et prit ses cigarettes. Vito l'éclaira pendant qu'il s'en allumait une. Mais maladroitement. Il l'éblouit et Horacio détourna les yeux.

– Pardon ! dit Vito.

– Tu me feras pas ça quand j'enfilerai les chaînes, hein, dit Horacio sur le ton de la plaisanterie.

Vito secoua la tête vigoureusement. Il éteignit la lampe et ils se retrouvèrent dans l'obscurité.

– Oui, voilà, dit Horacio. Laisse-la éteinte un moment.

Il faisait encore tiède dans la cabine. Quand Horacio tirait sur sa cigarette, une pâle lueur l'éclairait. Vito manipulait la lampe en évitant soigneusement de toucher au bouton.

– On y va ? dit doucement Horacio au bout d'un moment.

– Moi je suis prêt, dit Vito sur le même air.

– Alors tu vas descendre le premier et je poserai cette chaîne-là sur ton siège.

– Je peux rallumer ?

– Bien sûr.

Vito ralluma la lampe et ouvrit la portière.

– Continue de faire attention à pas glisser sur la route. Tiens-toi au camion si tu en as besoin.

– Je fais attention, dit Vito.

Il referma la portière. Horacio posa la chaîne à plat sur le siège de Vito.

23

Alors ils chaînèrent les roues avant. Cela leur prit plus d'une heure. Vito tint la lampe de telle façon qu'à aucun moment Horacio n'eut à lui demander de rectifier l'angle ou de l'éclairer un peu mieux. Juste une fois il faillit le lui demander, mais Vito s'en aperçut avant et rectifia de lui-même. Il posa un genou dans la neige pour être plus près de la roue et rendre plus précis son éclairage.

Ils travaillèrent en silence. Parfois un paquet de neige tombait des arbres derrière eux. Une paire de fois seulement Horacio se redressa pour souffler et se détendre les bras. C'est uniquement lorsque les moutons montraient leur fatigue inquiète en bêlant ou en tapant des sabots qu'il semblait marquer un temps d'arrêt et perdait brièvement sa concentration. Mais cependant il ne dit jamais rien à propos des moutons. Vito non plus. Il évitait même de regarder vers la plate-forme quand ça arrivait. Il espérait qu'ainsi, en n'y prêtant aucune attention lui-même, il donnait à Horacio l'impression que rien ne se passait sur la plate-forme. Ou si peu que ça ne valait pas la peine de s'en faire.

Horacio dit seulement à la fin et après avoir vérifié une dernière fois la tension des chaînes :

– Je crois que ça y est.

Quand ils remontèrent dans la cabine, ils étaient couverts de neige, et ils avaient l'un et l'autre très froid. Horacio alluma le moteur, et Vito, ayant ôté ses gants, se pencha et plaça ses mains devant la sortie du chauffage. Mais le moteur était froid et il lui fallut attendre la chaleur un long moment. Quand elle arriva, il lui présenta d'abord les paumes, ensuite le dos des mains, et se les frotta. Il se redressa et dit :

– Allez-y !

Horacio ôta ses gants et se réchauffa les mains à son tour.

– Alors maintenant tu t'imagines sans les gants ? dit-il.

Vito opina largement.

– Vas-y, continue ! dit Horacio lui laissant la place devant la soufflerie.

– Je vous ai bien éclairé ? demanda gauchement Vito.

– Et comment ! Je comptais bien te le dire.

– Merci.

Horacio alluma les phares.

– Tu as pas l'impression que ça y est ? dit-il.

Il s'était adressé cette question à lui-même. Vito ne le comprit pas et la prit pour lui.

– Si, j'ai l'impression, répondit-il.

Horacio le considéra en souriant.

– Quoi ? demanda Vito.

– Rien, Vito, rien. Mais en tout cas c'est vrai que tu as rudement bien éclairé.

Là-dessus il baissa la tête sur le volant pour le toucher avec le front. Puis il se remit droit. Et pendant un instant il se tint droit et immobile sur son siège, avec juste une brève expression de surprise.

Enfin il passa la vitesse, et les roues chaînées tirèrent le camion en avant en creusant la neige jusqu'à l'asphalte. Cent mètres plus loin ils abordèrent un virage. Le camion tint bien son cap.

– Bon Dieu ! murmura Horacio.

Il redressa le volant tout doucement et accéléra un peu. Le camion repartit bien droit dans la pente.

– Regarde-moi ça si ça va bien ! dit Horacio d'une voix extatique.

Vito avait posé ses mains sur le tableau de bord et il acquiesçait, les yeux rivés à la route.

– C'est sûr qu'on en achètera des modernes, dit Horacio sur un ton de promesse. J'ai pas changé d'avis, non, mais celles-ci on les gardera quand même dans un coin.

– Vaudrait mieux les garder dans le coffre.

– Oui, c'est ce que je voulais dire.

Le bruit métallique des chaînes sur l'asphalte et aussi les vibrations qu'elles transmettaient à tout l'avant du camion montaient jusque dans la cabine. Et tout cela était parfaitement et définitivement en accord avec la longue surface blanche de la route et avec les arbres qui ployaient sous la neige.

Horacio pensa : Et comment c'est sûr maintenant ça vaudra la peine que je me rappelle de cette nuit-là.

Ils abordèrent et négocièrent un nouveau virage, aussi aisément que le précédent. Horacio accompagna le mouvement du camion en penchant la tête dans le sens du virage, et la redressa en même temps qu'il redressait les roues et que le camion repartait dans la pente. Un instant après, un anneau de la chaîne droite se brisa, et aussitôt et à chaque tour de roue ensuite le bout de chaîne libéré se mit à cogner contre l'aile.

Horacio se crispa. Il lui semblait que la chaîne venait de se briser sur son échine et cognait maintenant dessus à chaque tour de roue. Il serra le volant et ouvrit la bouche pour chercher l'air.

Vito tenta de lire sur le visage d'Horacio. Tout ce qu'il voyait c'était sa bouche ouverte. Il attendit, puis il saisit la lampe et descendit la vitre. Il se pencha au-dehors et tenta d'éclairer la roue.

– Je vois rien ! cria-t-il.

Il repassa la tête dans la cabine.

– Je vois rien, répéta-t-il.

– Remonte la vitre ! dit Horacio d'une voix blanche.

– On devrait s'arrêter pour la réparer, dit Vito.

– La vitre ! dit Horacio.

Vito remonta la vitre. Il s'essuya le visage mouillé par la neige et éteignit la lampe. Plus rien ne se passa pendant un moment. Le claquement de la chaîne continua, régulier et tenace. Le camion poursuivait sa montée à la même allure et sans dévier du milieu de la route.

Brusquement le claquement s'amplifia contre l'aile et sembla se démultiplier. Et c'était maintenant un roulement métallique ininterrompu et incompréhensible.

Le camion dévia de sa trajectoire vers la gauche et sembla monter de travers. Avec par moments des à-coups, comme si le moteur calait et repartait.

Presque aussitôt des coups retentirent dans leur dos contre la tôle de la cabine. Vito redescendit sa vitre précipitamment. Il sortit la tête et les épaules, et éclaira vers l'arrière. Un mouton, acculé au coffre par les autres moutons, avait dressé ses antérieurs sur la ridelle, et sa tête et son cou se dressaient dans le vide au-dessus de la route. À cet instant la chaîne se rompit complètement. La roue la projeta en arrière et elle heurta violemment le dessous de la plate-forme. Les bêtes se serrèrent encore plus vers l'avant et le mouton en équilibre sauta de la plate-forme.

Vito rentra la tête dans la cabine.

– Un mouton qui a sauté sur la route ! s'écria-t-il hors d'haleine.

Puis, sans attendre de réponse, il repassa la tête dehors et pointa la lampe. Tout ce qu'il eut le temps de voir, ce fut le mouton se redresser sur le bas-côté, retomber aussitôt en avant, rouler dans la neige et disparaître dans l'obscurité.

– Oh, arrêtez-vous ! cria-t-il à pleins poumons.

Il rentra la tête à l'intérieur.

– Je crois qu'il s'est cassé les pattes !

Horacio lui jeta un regard rapide. Il prononça un début de mot puis se tut et secoua la tête d'un air affolé. Le volant vibrait entre ses mains comme si c'étaient les roues à présent qui le commandaient, et non plus ses bras.

Et Vito d'une voix suppliante :

– Mais quoi, pourquoi vous vous arrêtez pas ?

– Remonte la vitre ! articula Horacio.

Vito se mit à geindre :

– Je l'ai vu sauter, je vous dis.

La neige entrait dans la cabine. Prise dans un mouvement d'air, elle passait derrière les sièges et puis devant eux, et se mettait à voleter partout.

– La vitre ! marmotta Horacio.

Vito tenait la lampe entre ses mains.

— Mais le mouton !

— Referme cette vitre !

Vito branla la tête.

— Mais alors le mouton !

— Arrête ! dit Horacio d'une voix étrange.

Il avait voulu lui donner un accent d'ultime menace. Mais ça n'avait pas marché. Sa propre terreur lui était montée à la gorge au même moment, sa voix lui avait échappé et avait produit un son étranglé.

— Oh arrêtez-vous ! supplia Vito.

Horacio ouvrit la bouche en grand pour chercher l'air. Vito geignit :

— Qu'est-ce que vous faites ?

— Mais tu vas te taire ! rugit soudain Horacio convulsivement. Hein, espèce de petit fils de pute, tu vas te taire !

Et sans quitter la route des yeux il lança le bras sur le côté. Sa main chercha le col de Vito. Il l'agrippa et il le poussa de toutes ses forces. La tête de Vito heurta le montant de la portière. Il poussa un cri de douleur. Il lâcha la lampe et porta ses mains à sa tempe.

Horacio le reprit par le col.

– Alors est-ce que tu vas te taire ? hurla-t-il.

– Oui ! cria Vito d'une voix pleine de terreur.

Le camion manqua de toucher les arbres.

24

Horacio stoppa le camion en haut du col juste après la pancarte qui indiquait le nom du col et son altitude, et que la neige recouvrait en partie.

La route s'élargissait sur ce versant-là de la montagne. Au-delà des arbres et des premiers pins maritimes, on voyait des lumières clignoter en bas dans la vallée.

Horacio se pencha et prit la lampe électrique qui gisait aux pieds de Vito. Il l'éteignit et la posa doucement sur le tableau de bord.

Ensuite il se pencha au-dessus de Vito, et avec une attention infinie à ne pas le toucher il remonta la vitre.

Puis il reprit sa place et il posa la nuque sur le haut du siège.

Il entendait le bourdonnement d'un avion quelque part au loin. Mais il savait que ce n'en était pas un. Il posa ses deux mains sur son front. Le bourdonnement devint plus aigu. Il recula ses mains sur ses oreilles et il ferma les yeux. L'avion lui percuta la poitrine et il lui sembla qu'il hurlait de douleur.

25

Le bureau possédait deux portes en vis-à-vis. Une donnait sur l'écurie, et l'autre sur la cuisine de la maison. Les murs étaient en planches de pin rabotées et posées à l'horizontale. Il contenait une table, deux chaises, et un fourneau à mazout. Il était aussi pourvu d'un portemanteau où pendait une paire de cirés verts. Des bottes en caoutchouc étaient rangées en dessous. Sur le mur derrière la table il y avait une étagère sans rien dessus.

La table de bureau était faite de deux tréteaux et d'un plateau. Il y avait, posé sur la table, un presse-papiers en plâtre peint qui représentait un potiron. Il était modelé et peint maladroitement et il y avait une date d'inscrite dessus. L'éleveur de moutons assis derrière la table avait un certain âge. Il consultait les papiers vétérinaires. Il s'interrompit et posa son regard sur Horacio assis de l'autre côté du bureau.

— Alors comment c'était là-haut ? demanda-t-il. C'était difficile, hein ?

— Oui, dit Horacio.

— Je comprends, c'est un vrai sale coin quand il y a de la neige, dit l'éleveur.

Il s'adressa à Vito adossé debout à la cloison de planches.

— Qu'est-ce qu'il t'est arrivé ?

— Il est tombé pendant qu'on chaînait, répondit Horacio.

— Je vois, dit l'éleveur sans quitter Vito des yeux.

Il fixait sa tempe bleuie et le filet de sang séché qui lui descendait dans le cou.

— Ça te fait mal ?

— Non, plus maintenant, dit Vito.

L'éleveur se remit à consulter les certificats vétérinaires. À faire mine en réalité, car il les avait déjà soigneusement lus.

— Ça me va, dit-il. Oui c'est bon.

Il marqua un temps d'arrêt.

– Mais comment vous l'avez perdu, ce mouton ?

– Il a sauté du camion, je vous ai dit.

– D'accord il a sauté du camion, dit l'éleveur.
Sa voix était cordiale.

– C'est la vérité, dit Horacio d'un ton tranchant.

L'éleveur replia les certificats et les rangea dans l'enveloppe. Il hocha lentement la tête et posa ses coudes sur la table.

– C'est pas dans mon intention de vous ennuyer. Moi non plus j'aurais pas aimé passer le col cette nuit, je serais pas plus bavard que vous. J'ai simplement besoin de savoir comment ça s'est passé.

– Qu'est-ce que ça peut faire comment on l'a perdu ? dit Horacio froidement et en imprimant le bout de son doigt sur la table. C'est tout, on l'a perdu.

– Vous ne m'aidez pas, dit l'éleveur d'un air désolé.

– Qu'est-ce que vous voulez au juste ?

– Écoutez-moi. J'achète une douzaine de moutons à un type que je ne connais pas. Avec qui j'ai encore jamais travaillé. Le voilà qui arrive et il manque un mouton. Alors moi, pendant qu'on les rentre dans mon enclos j'y pense, et j'espère que ce mouton-là était pas malade et qu'ils l'ont pas laissé en route parce qu'il n'allait pas tenir la journée.

Sa voix était calme et neutre. Il s'efforçait d'expliquer son raisonnement sans froisser personne. Il prenait beaucoup de soin à ne pas employer un ton inquisiteur.

Il acheva :

— Et si celui-ci était malade, peut-être qu'il y en a d'autres.

Horacio dit :

— C'est tordu.

— Non c'est pas tordu, répondit l'éleveur.

Il se raidit et ajouta :

— De toute façon c'est mon affaire.

— D'accord c'est votre affaire, mais je pourrais aussi bien vous monter une histoire de toutes pièces à propos de ce mouton.

— Non, dit alors l'éleveur avec une joyeuse conviction. J'arrive très bien à voir quand quelqu'un me raconte des histoires. Allez, racontez-moi ça une bonne fois pour toutes, et après je serai rassuré on en parlera plus. Je vous amène des couvertures, et demain matin je vous amène du café.

Horacio se carra dans sa chaise, et au bout d'un moment il lâcha à contrecœur :

– On a chaîné pas très loin du col.

À peine avait-il commencé qu'il sentit une présence du côté de la cuisine attenante au bureau. Quelque chose comme un frôlement de tissu. Il se tut et tendit l'oreille.

L'éleveur dit :

– Alors vous avez chaîné.

– Oui. Et on est repartis. Ensuite la chaîne a cassé et elle a cogné contre l'aile. Les moutons ont eu peur, ils se sont tous foutus vers l'avant et il y en a un qui n'avait plus de place. Il a commencé par monter sur la ridelle, et quand la roue a éjecté la chaîne ça a fait un bruit terrible et il a sauté sur la route. Parce que ça lui a fait peur, ou alors parce que les autres l'ont serré encore plus. Ça je le sais pas, j'étais pas sur la plate-forme.

L'éleveur suivait l'histoire en jetant parfois un œil à Vito, puis il revenait à Horacio, et c'était son front qu'il voyait parce que Horacio parlait en regardant le potiron en plâtre.

– Et j'ai pas voulu m'arrêter pour le récupérer, on n'aurait eu aucune chance de repartir avec une seule chaîne.

Horacio releva la tête. Il regardait l'éleveur dans les yeux maintenant.

– Non, vous croyez pas ?

– J'en sais rien, dit l'éleveur.

Horacio, avec véhémence :

– Quoi, vous en savez rien !

– Non j'en sais rien, répéta l'éleveur.

Il regarda encore une fois Vito. Ensuite il se pencha en arrière en basculant sa chaise et se tint en équilibre sur deux des pieds. Visiblement il croyait à cette histoire. Ça n'avait plus l'air d'être la question. Mais à présent Horacio ne le quittait plus des yeux et le considérait avec dépit. Et l'éleveur lui dit prudemment :

– Je suppose que vous avez fait ce qui vous semblait juste.

– On avait notre élan, dit Horacio.

Sa voix était presque suppliante.

– Bien sûr, dit l'éleveur.

Dans l'intervalle de silence, Vito croisa ses bras et tira la nuque en arrière.

Horacio dit d'une voix lente :

– On serait jamais repartis avec une seule chaîne.

L'éleveur avança cette idée sur un air léger afin d'éviter un ton de jugement :

– Mais peut-être que je me serais arrêté pour récupérer le mouton et la chaîne, et que j'aurais réparé la chaîne.

Horacio le fustigea :

– Oh merde, et dites-moi avec quoi vous l'auriez réparée !

L'éleveur remit sa chaise d'aplomb, histoire de faire quelque chose. À peu près pour la même raison encore, histoire de faire quelque chose, il souleva les épaules.

Et là-dessus, l'espace d'un court instant mais qui leur sembla à tous les trois plus long, aucun des hommes dans le bureau ne parla ni ne bougea. Ils demeurèrent immobiles et muets, unis par une sorte de stupéfaction, et se jaugeant les uns les autres à une vitesse vertigineuse.

Puis soudain Horacio dit à voix basse :

– On avait notre élan.

– D'accord, dit l'éleveur.

Sa voix était bienveillante.

Horacio souffla :

– On risquait de les perdre tous.

L'éleveur ne dit rien. Il attendit un instant et il sortit l'argent de la poche de sa veste. Comme il en soustrayait le prix du mouton qui manquait, Horacio demanda :

– Vous avez un fusil ?

L'éleveur suspendit le compte de l'argent. Il opina et dit :

– Oui j'en ai un, pourquoi ?

– Je vais vous montrer le mien.

Horacio se leva. Il gagna la porte qui donnait sur l'écurie et sortit du bureau.

L'éleveur regarda Vito d'un air incrédule.

– Qu'est-ce qu'il a, ton patron ?

Vito secoua la tête.

– Je sais pas.

– Qu'est-ce qui lui fait mal alors ?

Vito regarda par terre et l'éleveur dit :

– Bon sang il est pas facile !

Il changea le ton de sa voix :

– Et toi, comment tu te sens ?

– On est fatigués.

– Je comprends. Tu lui diras de ma part que vous m'avez amené des beaux moutons.

— Oui, je lui dirai.

L'éleveur plaisanta :

— Hein, parce que peut-être que moi il m'engueulerait si je lui disais.

— Je sais pas, peut-être, dit Vito en souriant légèrement.

— Moi je crois, alors tu lui diras, toi.

Vito acquiesça. L'éleveur plissa les lèvres. Il déplaça son regard sur la blessure de Vito.

— Ça me fait mal au cœur de te voir avec ça, mon garçon.

— Oh non, dit Vito, effleurant du bout des doigts sa tempe juste au-dessus de la blessure.

— Si, ça me fait mal au cœur.

Vito lui sourit et détourna les yeux.

L'éleveur dit sans arrière-pensée :

— Alors tu es tombé pendant que vous chaîniez.

— Oui.

L'éleveur dit avec compassion :

— Rude journée, hein ?

— Sûr, dit Vito.

— J'ai pensé à vous. Je suis souvent sorti pour vous voir arriver.

Vito changea d'épaule contre la cloison et laissa

aller son doigt le long de la jointure entre deux planches.

— Prenez autant de paille que vous voudrez pour vous installer, lui dit l'éleveur.

— Oui.

— Tu as déjà dormi dans la paille ?

Vito hocha la tête, et là-dessus Horacio revint par la porte de l'écurie. Il posa le fusil sur la table et resta debout devant. L'éleveur contempla le fusil un instant avant de le prendre en main. Il siffla sur l'air du connaisseur et dit :

— D'accord, je vois.

— Je peux vous le vendre.

— Quoi ?

— Je vous vends ce fusil.

— J'en ai déjà un.

— Mais un aussi joli ?

— Oh non ! Sûrement pas. Seulement je peux pas vous l'acheter.

— Donnez-moi l'argent du mouton, et ça ira.

— Il en vaut beaucoup plus.

— Je le sais bien. Et alors ?

— Alors ? reprit l'éleveur avec surprise.

Il se pencha sur le fusil et dit :

– Vous avez rudement besoin d'argent, pas vrai ?

Horacio ne lui répondit pas.

Et l'éleveur, avec gêne :

– Oui vous avez rudement besoin d'argent. Mais j'ai jamais profité de personne.

– Vous profitez pas, dit Horacio.

L'éleveur leva les yeux vers Vito et le dévisagea comme s'il cherchait à lire son avis.

Vito soutint son regard. Mais ne semblait ni l'approuver ni le désapprouver. Il se contentait de le regarder avec mélancolie.

L'éleveur reprit le fusil en main et considéra Horacio et Vito tour à tour, puis ensuite le fusil, et il dit, murmurant presque et semblant en prendre conscience à l'instant même où il le disait :

– Je sais pas ce qui se passe ici.

– Alors ? demanda Horacio.

L'éleveur dit sans le regarder :

– D'accord je vais vous l'acheter.

26

L'écurie était peinte à la chaux. Elle se composait de trois stalles dont les mangeoires avaient été démontées parce que l'éleveur ne possédait plus de chevaux. Un long fil électrique muni d'une ampoule pendait à une poutre.

Ils avaient étalé de la paille dans la stalle du milieu et étendu deux couvertures militaires pardessus, et leurs manteaux sur les couvertures.

Vito était allongé sur le flanc la tête sur un coude.

Horacio était assis sur une botte de paille devant la stalle qu'ils avaient aménagée.

Un mur bas à hauteur d'homme séparait l'écurie de l'enclos des moutons. En sorte qu'ils ne les voyaient pas mais qu'ils les entendaient manger, et par moments se frotter à l'enclos.

Horacio se leva. Il alla s'agenouiller sur son manteau et en sortit ses cigarettes.

– Qu'est-ce que tu fais ? demanda-t-il.

Vito dit :

– Rien.

– Essaye de dormir.

Vito leva les yeux sur lui. Et à nouveau Horacio :

– Hein, essaye de dormir.

Vito ferma les yeux et les rouvrit aussitôt. Horacio se redressa et se dirigea vers la fenêtre de l'écurie, juste en face de la stalle. C'était une très petite fenêtre. Elle donnait sur la cour. Elle avait quatre carreaux recouverts d'un plastique opaque en guise de vitre. Il était déchiré dans l'angle d'un carreau du bas et l'air y entrait. Horacio alluma sa cigarette. Il posa ses coudes sur le renfoncement de la fenêtre et souffla la fumée vers la déchirure du plastique.

Il acheva sa cigarette. Il allongea le bras et jeta le mégot dans la cour en soulevant le bout de plastique déchiré. Il se retourna et s'adossa au mur.

Vito avait gardé sa position sur un coude tandis

qu'Horacio fumait. Quand il le vit se retourner, il bascula sur le dos.

— Il y a un peu de courant d'air ici, lui dit Horacio. Mets-toi sous ton manteau !

Vito se dressa sur son séant et tira le manteau sur ses jambes. À ce moment l'éleveur entra dans l'écurie par la porte du bureau.

— J'ai oublié de vous montrer, le commutateur est là quand vous voudrez éteindre.

Il pointa le doigt sur le commutateur à moitié noyé dans le mur à sa droite.

— D'accord, dit Horacio.

L'éleveur s'adressa à Vito :

— Tu es bien installé, tu as pris assez de paille ?

— Oui, lui répondit Vito.

— On va venir te soigner ça, lui dit l'éleveur en tapotant sur sa propre tempe.

Puis soudain il huma l'air et fit un pas dans l'écurie, soupçonneux.

— Je vous avais dit de pas fumer ici.

Il continua de s'avancer.

— Je vous l'ai dit ou pas ?

Il se mit à fustiger Horacio du regard. Horacio regarda de côté. L'éleveur dit entre ses dents :

– Alors écoutez, je crois que vous m'emmerdez finalement.

Puis inspectant le sol :

– Dites voir, il est où votre mégot maintenant ?

– Je l'ai jeté dehors.

– Vous l'avez jeté dehors ?

Horacio lui désigna le bout de plastique déchiré. L'éleveur tourna les talons. Il s'éloigna vers la porte du bureau, et sa démarche et toute sa silhouette exprimaient la déception et une intense réprobation.

Horacio demeura immobile, les yeux rivés à la porte.

27

Il avait toujours les yeux sur la porte quand la femme de l'éleveur entra dans l'écurie. Elle portait une bassine d'eau fumante, et un paquet de coton sous son bras. Elle ressemblait à une vieille femme. Elle était forte et marchait avec difficulté, et lourdement. Elle avait un bandage enroulé autour de sa jambe qui montait de la cheville au genou. Elle portait un chignon qu'elle venait sans doute de refaire rapidement, car il y avait des mèches qui n'étaient pas prises entre les deux longues épingles.

Elle s'avança timidement au milieu de l'écurie et s'arrêta devant la botte de paille. Horacio s'accroupit contre le mur sous la fenêtre.

– Bonjour, lui dit-elle.

— On vous a réveillée, excusez-nous !

La femme de l'éleveur dit :

— Non vous m'avez pas réveillée.

Sa voix était basse et pâteuse.

— On a perdu du temps à cause de la neige.

La femme dit précautionneusement :

— Je sais, et ç'a été difficile.

Horacio hocha la tête.

La femme regarda autour d'elle.

Après quoi elle s'assit sur la botte de paille et posa la bassine dans son giron. La vapeur d'eau montait dans l'air tiède de l'écurie et embuait l'ampoule qui balançait doucement au bout du fil.

Alors seulement la femme se tourna vers Vito et lui sourit, et elle prit un instant pour observer comment ils avaient aménagé la stalle.

— Viens t'asseoir, dit-elle ensuite en désignant la place libre à côté d'elle sur la botte.

Sa voix était tranquille et pâteuse, comme s'il lui tombait de la neige devant la bouche quand elle parlait.

Vito se leva et resta debout au milieu de la stalle.

— Vas-y ! l'enjoignit Horacio à voix basse.

Vito sortit de la stalle en prenant soin de ne pas

marcher sur les couvertures et s'assit sur la botte de paille à côté de la femme.

— Tu as mal ?

— Plus beaucoup.

— Montre-moi !

Vito lui présenta sa tempe blessée. Elle sortit une boule de coton, la trempa dans l'eau tiède et entreprit de lui laver le sang séché autour de la blessure. Ensuite elle sortit une bouteille de teinture d'iode de la poche de sa blouse et désinfecta la plaie. Tout ça dans un parfait silence, et seulement parfois on entendait les moutons piétiner dans l'enclos derrière le mur, et se frotter aux planches.

La femme imbiba un dernier coton de teinture d'iode. Elle l'appliqua sur la plaie et le maintint un moment. Elle l'ôta et dit :

— Voilà.

— Merci, dit Horacio.

— Je t'ai fait mal ?

— Non, dit Vito.

Il ébaucha un sourire. Il se leva et retourna dans la stalle. La femme referma la bouteille de teinture d'iode et posa la cuvette à côté d'elle. Elle rassembla tous les bouts de coton sales dans une main tandis que Vito s'asseyait sur la couverture. Il s'adossa au mur de la stalle et remonta son manteau sur ses épaules.

Horacio commença de se redresser. Il sentit l'air froid de la fenêtre sur sa nuque. Quand la femme reprit la cuvette pour s'en aller il souffla :

– Oh s'il vous plaît !

La femme le regarda avec une vague stupeur, posa la cuvette dans son giron et fixa la surface de l'eau.

Rien ne sembla plus bouger dans la tiédeur de l'écurie, à part l'eau dans la cuvette, et l'ampoule qui continuait à doucement se balancer et provoquait d'imperceptibles changements dans les ombres.

Soudain Horacio se dirigea vers la femme et s'assit sur la botte de paille à côté d'elle.

La femme ne bougea pas.

Il contempla un instant l'eau dans la cuvette.

Ça l'étonna pendant un instant qu'elle ne fût pas teintée de sang. Alors il se souvint que la femme de l'éleveur avait chaque fois employé un bout de coton neuf. Il posa ses mains sur ses genoux.

La femme demeurait toujours sans bouger.

Horacio dit d'une voix tendue :

— J'ai eu peur toute la journée qu'il se mette à neiger.

La femme tourna légèrement la tête vers lui. Elle dit de sa voix tranquille :

— Vous voilà arrivés.

Et, dans l'intention de s'adresser à eux deux, elle se tourna vers Vito pour dire :

— Et il paraît que ce sont des beaux moutons.

Vito, adossé au mur de la stalle, la regarda sans rien dire. La femme de l'éleveur lui dit avec douceur :

— Mais c'est dommage que tu sois tombé.

Vito pencha la tête de côté et souleva une épaule.

La femme lui sourit et regarda devant elle.

Horacio avait toujours les mains posées sur ses genoux et il fixait les pierres polies du sol entre ses chaussures.

Il dit, haletant un peu :

— On a bien roulé mais j'ai eu tout le temps peur qu'il se mette à neiger.

La femme, presque en forme d'excuse :

— On avait écrit sur la lettre qu'on pouvait les attendre jusqu'au printemps.

Horacio regarda rapidement vers Vito et dit :

— Si vous saviez comme on a bien roulé.

Sa voix s'était raffermie.

La femme réfléchit.

— Vous êtes partis la nuit dernière ?

— Je pense bien, oui.

La femme dit doucement :

— Ce que vous devez être fatigués.

Horacio fit :

— Quoi ?

Il se reprit aussitôt :

— Pardon, oui on est fatigués.

Il avait commencé à sortir son paquet de cigarettes.

— On avait rien oublié, sauf de quoi faire boire les
bêtes.

— Ah !

— Oui mais on a trouvé une astuce.

Il s'alluma une cigarette. La femme demanda :

— Qu'est-ce que c'était ?

— Oh pas grand-chose, on a découpé un jerrican
en deux.

Ensuite il ne dit plus rien. Il se mit à fumer avec
frénésie. Et à regarder l'intérieur de la main qui

tenait la cigarette. Et par moments il regardait la fumée monter vers le cercle de lumière sous l'ampoule. Alors il apercevait Vito assis au fond de la stalle. Mais si fugitivement qu'il ne savait pas s'il l'observait, s'il regardait ailleurs, ou s'il avait les yeux fermés.

La femme de l'éleveur dit :

— Si vous voulez d'autres couvertures ?

Horacio écrasa sa cigarette sous sa chaussure et fit glisser le mégot entre deux pierres. Il reposa les mains sur ses genoux. Ses mâchoires, à l'amorce du cou, saillirent plusieurs fois, et tout son visage ensuite se contracta.

— On serait jamais repartis avec une seule chaîne.

Sa voix s'était brisée sur les derniers mots.

Mue par une très lointaine intuition, la femme ne dit rien. Elle ne chercha pas à l'interroger. Elle demeura aux aguets. Elle ne bougea plus. Elle souleva seulement la cuvette pour soulager ses jambes. Mais imperceptiblement, pour ne pas donner à penser qu'elle désirait s'en aller.

Horacio dit soudain, le regard posé sur le sol entre ses chaussures :

— Mais ce que j'ai eu peur quand la chaîne a cassé.

Au bout de quelques secondes il redressa la tête. Il fixa un instant Vito, puis de nouveau il regarda les pierres polies.

Un mouton renâcla dans l'enclos derrière eux.

Il y eut un bruit sourd, comme une ruade.

Puis les bêtes se calmèrent.

Horacio dit à voix basse :

– Seigneur ce que j'ai eu peur cette nuit.

Et ensuite, plus fort et avec un léger tremblement :

– Mais écoutez, il y a pas de fils de pute qui tienne.

La femme rougit.

Horacio crispa ses mains sur les genoux.

– Pardon, lui dit-il.

– Oh c'est rien, dit la femme.

Horacio fit lentement non de la tête, pour lui-même. Il reprit sa respiration.

– Pardon mais c'est vrai, mon Dieu non il y a pas de fils de pute nulle part.

Il s'arrêta. Il concentra ses forces, et puis laissa échapper, et sa voix maintenant était toute nue :

– Il y a que des pauvres gars comme nous autres qui ont jamais vu de loutres qu'en photographie.

La femme murmura :

– Je comprends pas, monsieur.

Elle regretta aussitôt de l'avoir dit, et dans son désir intense de l'effacer elle fit une chose dont elle devait toujours se souvenir. Elle lâcha le rebord de la cuvette et posa sa main sur celle d'Horacio.

Puis elle remonta la main jusqu'au poignet d'Horacio, et l'ôta doucement, et regarda devant elle. Et un peu plus tard, alors qu'elle défaisait le bandage de sa jambe pour la nuit, assise sur une chaise de la cuisine, elle commença déjà de s'en souvenir.

Elle essaya ensuite de se rappeler si, juste après avoir éteint le commutateur de l'écurie, elle avait dit, ou seulement imaginé de leur dire : « Je crois pas que vous aurez froid. »

Oui il lui sembla qu'elle l'avait dit. Et, juste comme elle commençait d'enrouler la bande sur elle-même, une rafale de vent souffla contre le mur de la maison. Elle leva la tête, et presque simultanément le vent qui avait continué à courir le long du mur vibra bruyamment contre le bout de plastique déchiré de la fenêtre de l'écurie. Vito sursauta et Horacio se retourna et tâtonna dans l'obscurité à la recherche de son épaule.

DU MÊME AUTEUR

Le Secret du funambule
Milan, 1989

Le Bruit du vent
Gallimard Jeunesse, 1991
et « Folio Junior », n° 1284

La Lumière volée
Gallimard Jeunesse, 1993
et « Folio Junior », n° 1234

Le Jour de la cavalerie
Seuil Jeunesse, 1995
et « Points », n° P1053

L'Arbre
Seuil Jeunesse,1996

Vie de sable
Seuil Jeunesse, 1998

Une rivière verte et silencieuse
Seuil, 1999
et « Points », n° P840

La Dernière Neige
Seuil, 2000
et « Points », n° P942

Quatre Soldats
Prix Médicis 2003
Seuil, 2003
et « Points », n° P1216

Hommes sans mère
Seuil, 2004

RÉALISATION : PAO ÉDITIONS DU SEUIL
S. N. FIRMIN-DIDOT AU MESNIL-SUR-L'ESTRÉE
DÉPÔT LÉGAL : OCTOBRE 2004. N° 63950 (69829)
IMPRIMÉ EN FRANCE